J. G. Ballard
avarija

K

ĮŽANGA

Sveiko proto ir košmaro sąjunga, vyravusi XX amžiuje, pagimdė dar dviprasmiškesnį pasaulį. Komunikacijų kraštovaizdžiu juda grėsmingų technologijų šmėklos ir už pinigus perkami sapnai. Termobranduolinių ginklų sistemos ir gaiviųjų gėrimų reklamos gyvuoja greta viena kitos toje reklamos, pseudoįvykių, mokslo ir pornografijos užgrobtoje, pernelyg ryškios šviesos užlietoje karalystėje. Mūsų gyvenimus valdo du didieji XX amžiaus leitmotyvai – seksas ir paranoja.

Mūsų praeities, dabarties ir ateities sąvokos yra vis labiau koreguojamos. Kaip praeitis, kalbant socialiniais ir psichologiniais terminais, tapo Hirosimos ir branduolinio amžiaus auka, taip ir ateitis beveik liovėsi egzistuoti, praryta visa ėdančios dabarties. Mes jėga susiejome ateitį su dabartimi, ji tapo tik viena iš daugelio mums atvirų gyvenimo alternatyvų. Pasirinkimo galimybių vis daugėja ir mes gyvename beveik infantiliame pasaulyje, kur kiekvienas poreikis, kiekviena užgaida, ar tai būtų gyvenimo būdas, kelionės, seksualiniai vaidmenys, ar tapatybės, gali būti tučtuojau patenkinti.

Norėčiau pridurti, kad jaučiu, jog realybės ir fikcijos santykis per pastaruosius dešimtmečius gerokai pasikeitė. Šie du dalykai pasikeitė vaidmenimis. Mes gyvename pasaulyje, valdomame pačių įvairiausių fikcijų – masinės prekybos, reklamos, politikos, besielgiančios it reklamos šaka, televizijos, užbėgančios už akių kiekvienai originaliai reakcijai į patirtį. Mes gyvename milžiniškame romane. Rašytojui vis mažiau būtina išrasti grožinį, pramanytą savo romano turinį. Fikcija jau supa mus. Rašytojo užduotis dabar – išrasti realybę.

Praeityje mes visada manėme, kad mus supantis išorinis pasaulis atstovauja realybei, kad ir kokia ji būtų trikdanti ir miglota, manėme, jog vidinis mūsų minčių, svajonių, vilčių, siekių pasaulis atstovauja fantazijos ir vaizduotės karalystei. Šie vaidmenys, man regis, buvo sukeisti vietomis. Pats išmintingiausias ir veiksmingiausias būdas, kaip elgtis su mus supančiu pasauliu, yra apsimesti, kad pasaulis yra visiškai pramanytas, o vienintelė likusi realybės kruopelė egzistuoja mūsų galvose. Klasikinė Freudo skirtis tarp paslėpto ir akivaizdaus sapno turinio, tarp menamo ir tikro dabar turi būti pritaikyta išoriniam vadinamosios realybės pasauliui.

Koks tad būtų pagrindinis rašytojo, matančio šiuos pokyčius, uždavinys? Ar jis vis dar gali naudotis tradicinio XIX amžiaus romano rašymo technika ir perspektyvomis? Ar jam reikalingas linijinis naratyvas, nuosekli chronologija, ryškūs charakteriai, plačiai apgyvendinę jiems skirtas valdas, turintys galybę erdvės ir laiko? Ar jo siužeto medžiaga yra giliai praeityje nugrimzdusios charakterio ir asmenybės ištakos, neskubrus personažo kilmės tyrinėjimas, pačių subtiliausių socialinio elgesio ir asmeninių santykių niuansų nagrinėjimas? Ar rašytojas vis dar turi moralinę teisę sukurti savarankišką ir uždarą pasaulį, vadovauti savo veikėjams tarsi egzaminuotojas, žinantis visus klausimus iš anksto? Ar gali jis viską, ką nori palikti nepaaiškinta, įskaitant savo motyvus, išankstinius nusistatymus ir psichopatologiją, palikti už kuriamo pasaulio ribų?

Aš jaučiu, kad rašytojo vaidmuo, jo autoritetas ir paskata veikti radikaliai pasikeitė. Jaučiu, kad tam tikra prasme rašytojas daugiau nieko nebežino. Jis nebeturi moralinių pozicijų. Jis siūlo skaitytojui savo galvos turinį, tam tikrą pasirinkimų ir įsivaizduojamų galimybių rinkinį. Jo vaidmuo tapo panašus į mokslininko, dirbančio lauko sąlygomis arba laboratorijoje, susidūrusio su nežinomais dalykais ar neištirta vietove. Jis tegali kurti įvairias hipotezes ir išbandyti jas naudodamas faktus.

„Avarija" ir yra tokia knyga, kraštutinė ribinės situacijos metafora, beviltiškų priemonių rinkinys, skirtas vartoti ištikus ekstremaliai krizei. „Avarijoje", žinoma, nesirūpinama dėl išgalvotos nelaimės, kad ir kokia neišvengiama ji būtų, joje aprašomas pandeminis kataklizmas, kasmet nužudantis šimtus tūkstančių ir sužalojantis milijonus žmonių. Ar automobilio avarijoje mes matome blogą lemiantį sekso ir technologijų santuokos ženklą? Ar šiuolaikinės technologijos suteiks mums iki šiol nė neįsivaizduotų priemonių mūsų pačių psichopatologijoms ištraukti į dienos šviesą? Ar šios mūsų įgimto iškrypimo valdymo priemonės išeis mums į naudą? Ar šiuo metu ima atsiskleisti kažkokia iškrypusi logika, daug stipresnė už sukurtąją sveiko proto?

Rašydamas „Avariją" aš naudojausi automobiliu ne tik kaip seksualiniu įvaizdžiu, bet ir kaip žmogaus gyvenimo šiuolaikinėje visuomenėje metafora. Šiuo požiūriu romanas įgijo politinį matmenį, kuris beveik nesisieja su seksualiniu turiniu, tačiau aš vis dar norėčiau manyti, kad „Avarija" yra pirmasis technologijomis besiremiantis pornografinis romanas. Tam tikra prasme pornografija yra pati politiškiausia literatūros rūšis, nagrinėjanti, kaip mes naudojame ir išnaudojame vienas kitą pačiais begėdiškiausiais ir atkakliausiais būdais.

Nereikia nė sakyti, kad pirminė „Avarijos" paskirtis yra perspėjimas dėl šios brutalios, erotinės, pernelyg ryškiai apšviestos karalystės, kuri vis įtikinamiau vilioja mus iš už technologinio kraštovaizdžio ribų.

J. G. Ballard
1995

1

Voenas mirė vakar, per savo paskutinę avariją. Kol tęsėsi mūsų draugystė, jis repetavo savo mirtį daugybėje avarijų, tačiau tik ši tapo jo vieninteliu tikru nelaimingu atsitikimu. Susidūrimo trajektorija slysdamas kino aktorės limuzino link, jo automobilis perskriejo Londono oro uosto viaduko turėklus ir įsmigo į uosto keleivių pilno autobuso stogą. Kai po valandos prasibroviau pro policijos mechanikų minią, sutraiškyti jame susigrūdusių turistų kūnai tarsi kraujuojantys saulės spinduliai vis dar gulėjo ant vinilinių sėdynių. Laikydamasi už savo vairuotojo rankos, kino aktorė Elizabetė Teilor – su kuria numirti Voenas svajojo tiek ilgų mėnesių, – stovėjo po mirgančiomis greitosios pagalbos automobilio šviesomis. Man atsiklaupus prie Voeno kūno, ji prispaudė pirštine apmautą ranką sau prie gerklės.

Ar sugebėjo ji Voeno pozoje įžvelgti mirties, kuri buvo sukurta jai, formulę? Paskutinėmis savo gyvenimo savaitėmis Voenas mąstė tik apie jos mirtį, žaizdų karūnavimo ritualą, kuriam visiškai paaukojo save tarsi koks grafas Maršalas. Jo buto netoli Šepertono kino studijos sienos buvo apkabinėtos fotografijomis, kurias jis savo galingu objektyvu pyškindavo kiekvieną rytą, jai išėjus iš savo viešbučio Londone; jis fotografuodavo nuo pėsčiųjų tiltų virš į vakarus sukančių greitkelių ir nuo daugiaaukštės automobilių aikštelės šalia studijos. Išdidintas jos kelių ir rankų, vidinių šlaunų pusių ir kairiojo lūpų kampučio detales aš sunkia širdimi daugindavau kopijavimo aparatu savo biure ir įteikdavau jam atspaudų paketus, tarsi jie būtų mirties nuosprendžio skyriai. Šiame bute man teko stebėti, kaip jis derina jos kūno detales su groteskiškų žaizdų nuotraukomis iš plastinės chirurgijos vadovėlio.

Įsivaizduodamas avariją su aktore, Voenas buvo tiesiog apsėstas daugybės žaizdų ir susidūrimo smulkmenų: judviejų kaktomuša susidūrusių automobilių, be galo besikartojančiame sulėtintame filme skylančių chromuotų detalių ir pertvarų, identiškų sužalojimų, paliktų jų kūnuose, priekinio stiklo, tarsi šerkšnu padengiančio jos veidą, vaizdo, kai ji, panaši į mirties pagimdytą Afroditę, pramuša jo užtamsintą paviršių, sudėtingų šlaunų lūžių, įsirėžusių į rankinių stabdžių mechanizmus. Tačiau svarbiausi būdavo jų lytinių organų sužalojimai: jos gimda, perskrosta heraldiniu gamintojo ženklo snapu, jo sėkla, besiveržianti ant švytinčių prietaisų skalių, amžiams užfiksavusių variklio temperatūrą ir degalų kiekį.

Tik tomis akimirkomis, kai man pasakodavo apie savo paskutinę avariją, Voenas būdavo ramus. Jis kalbėdavo apie tas žaizdas ir susidūrimus erotiškai ir švelniai lyg ilgo išsiskyrimo iškamuotas meilužis. Rausdamasis nuotraukose savo bute, jis stovėdavo pusiau pasisukęs į mane, demonstruodamas savo slėpsnas, ir aš, pamatęs jo beveik pasistojusio penio kontūrą, apmirdavau. Jis puikiai žinojo: kol provokuoja mane savo seksualumu – o juo jis naudojosi atsainiai, tarsi galėtų nebekreipti į jį dėmesio kada tik panorėjęs, – tol aš jo nepaliksiu.

Po dešimties dienų, nuvaręs mano automobilį iš daugiaaukščio namo garažo, Voenas nuskriejo betoniniu tilto nuolydžiu – nuo grandinės nutrūkusi pasibaisėtina mašina. Vakar jo kūnas gulėjo po viaduku, apšviestas policijos prožektorių šviesos, apgaubtas grakščiais kraujo nėriniais. Netaisyklinga jo kojų ir rankų padėtis, kruvina veido geometrija atrodė lyg traumas vaizduojančių nuotraukų, kuriomis buvo nukabinėtos buto sienos, parodija. Paskutinį kartą pažvelgiau į jo didžiules, kraujo pritvinkusias kirkšnis. Už dvidešimties jardų nuo jo, apšviesta besisukančių lempų, ant vairuotojo rankos kybojo aktorė. Voenas svajojo numirti, kai ji pasieks orgazmą.

Prieš mirdamas Voenas dalyvavo daugelyje avarijų. Kai galvoju apie Voeną, matau jį nuvarytuose ir paskui sudaužytuose automobiliuose, matau deformuoto metalo ir plastiko paviršius, amžiams priėmusius jį į savo glėbį. Prieš du mėnesius radau jį apatiniame oro uosto viaduko aukšte. Jis buvo pirmąkart surepetavęs savo mirtį. Taksi vairuotojas padėjo dviem priblokštoms stiuardesėms išlįsti iš mažo automobiliuko, į kurį, išniręs iš nematomo šalutinio kelio posūkio, rėžėsi Voenas. Bėgdamas Voeno link, mačiau jį pro suskilusį priekinį balto kabrioleto, kurį jis pavogė iš Okeano terminalo automobilių aikštelės, stiklą. Jo išsekęs veidas ir randais išmarginta burna buvo apšviesti laužytų vaivorykščių. Išėmiau sulamdytas keleivio dureles. Voenas sėdėjo ant stiklais nusėtos sėdynės, itin patenkintu žvilgsniu tyrinėdamas savo pozą. Jo rankos, apverstos delnais į viršų, buvo išterliotos sužalotų kelių girnelių krauju. Jis apžvelgė vėmalų drūžes ant savo odinės striukės atvartų, ištiesė ranką, kad paliestų spermos lašus, prilipusius prie prietaisų skydelio. Bandžiau ištraukti jį iš automobilio, tačiau jo sėdmenys buvo taip suspausti, lyg būtų užstrigę, stengdamiesi iš sėklidžių išspausti paskutinius skysčio likučius. Greta, ant sėdynės, mėtėsi suplėšytos aktorės nuotraukos, kurias aš jam nukopijavau tą patį rytą savo biure. Padidinti lūpų, antakio, alkūnės, tarpo tarp krūtų fragmentai sukrito į padriką mozaiką.

Automobilio avarija ir jo paties seksualumas Voenui pagaliau virto paskutine santuoka. Prisimenu jį naktį su nervingomis jaunomis merginomis ant paliktų sąvartyne automobilių sulamdytų galinių sėdynių. Pamenu ir jų, nepatogiai besidulkinančių, nuotraukas – įtemptos strėnos, persikreipę, apšviesti jo polaroido blyksčių veidai, išsigandę lyg išsigelbėjusiųjų po povandeninio laivo katastrofos. Šios viskam pasiryžusios kekšės, kurias Voenas susitikdavo visą naktį veikiančiose kavinėse ir oro uosto prekybos centruose, buvo artimiausios pacientų, pavaizduotų jo turimuose chirurgijos vadovėliuose, giminaitės. Kol praktikavosi, meilindamasis sužalotoms moterims, Voenas buvo tiesiog apsėstas dujinės gangrenos bubonų, veido ir lytinių organų sužalojimų.

Voeno padedamas, aš atradau tikrąją avarijos prasmę, žaizdų ir besiverčiančio automobilio reikšmę, susidūrimo kaktomuša ekstazę. Kartu mes lankydavomės Kelių tyrimo laboratorijoje, už dvidešimt mylių į vakarus nuo Londono, ir stebėdavome bandomuosius automobilius, daužomus į cemento blokus. Vėliau savo bute Voenas sulėtintai sukdavo savo nufilmuotas juostas su bandomosiomis avarijomis. Sėdėdami tamsoje ant pagalvėlių, mes žiūrėdavome į begarsius susidūrimus, mirgančius ant sienų virš mūsų galvų. Pasikartojanti daužomų automobilių seka iš pradžių mane nuramindavo, o vėliau sujaudindavo. Kai važiuodavau vienišas greitkeliu, apšviestu geltona žibintų šviesa, įsivaizduodavau save prie tų dūžtančių automobilių vairo.

Likusius mėnesius mes su Voenu daug valandų praleidome važinėdamiesi greitkeliais palei šiaurines oro uosto ribas. Ramiais vasaros vakarais šie greitkeliai tapdavo siaubingų susidūrimų zona. Voeno radijo imtuvu klausydamiesi policijos dažnio, mes judėjome nuo vienos avarijos prie kitos. Sustoję po prožektoriais, plieskiančiais virš didelių susidūrimų vietų, dažnai stebėdavome, kaip gaisrininkai ir policijos mechanikai su acetileno degikliais ir keltuvais laisvindavo sąmonės netekusias žmonas, įstrigusias šalia negyvų vyrų, arba laukdavo, kol gydytojas krapštydavosi prie mirštančio žmogaus, prispausto apvirtusio sunkvežimio. Kartais Voeną nustumdavo kiti smalsuoliai arba jis turėdavo kovoti su greitosios pagalbos sanitarais dėl savo fotoaparatų. Labiausiai Voenas laukė susidūrimų kaktomuša su betoninėmis greitkelio viadukų atramomis – melancholiškos suniokoto automobilio, palikto ant žole apaugusio kelkraščio, ir giedrai veržlios betono skulptūros dermės.

Kartą mes pirmi pasiekėme sudaužytą automobilį, kurį vairavo moteris. Ji, pusamžė neapmuitinamo alkoholio parduotuvės kasininkė, sėdėjo pasvirusi į šoną aplamdytame salone, o kaktoje tarsi brangakmeniai blizgėjo priekinio stiklo šukės. Kol, blykčiodamas šviesomis, artėjo policijos automobilis, Voenas nubėgo pasiimti fotoaparato ir blykstės. Nusirišęs kaklaraištį, aš bejėgiškai ieškojau moters kūne žaizdų. Gulėdama skersai sėdynės, ji nebyliai žvelgė į mane. Stebėjau, kaip kraujas sunkiasi pro jos baltą palaidinę. Nufotografavęs ją paskutinį kartą, Voenas atsiklaupė automobilyje ir, atsargiai suėmęs jos veidą delnais, kažką šnabždėjo į ausį. Mes abu padėjome ją užkelti ant greitosios neštuvų.

Mums grįžtant namo, Voenas atpažino oro uosto kekšę, stovinčią priešais pakelės restoraną. Dalį dienos dirbdama kino teatro kasoje, ji visą likusį laiką rūpinosi mažo sūnaus sugedusiu klausos aparatu. Kai tik jie įsitaisė ant galinės sėdynės, ji ėmė skųstis Voenui, kad nervingai vairuoju, tačiau šis stebėjo jos judesius išsiblaškęs, beveik drąsindamas ją gestikuliuoti rankomis ir judinti kelius. Man teko palaukti prie baliustrados, ant tuščio daugiaaukštės Northolto stovėjimo aikštelės stogo. Ant galinės automobilio sėdynės Voenas bandė sudėstyti jos galūnes mirštančios kasininkės poza. Jo tvirtas virš jos palinkęs kūnas judėjo, pravažiuojančių automobilių žibintų šviesoje įgaudamas daugybę stilizuotų padėčių.

Voenas atskleidė man, kad jį yra apsėdęs paslaptingas žaizdų erotizmas: iškrypusi krauju varvančių prietaisų skydelių logika, saugos diržai, išteplioti ekskrementais, skydeliai nuo saulės, aptaškyti smegenimis. Kiekvienas sudaužytas automobilis Voenui kėlė susijaudinimo virpulį: sudėtinga sulamdyto buferio geometrija, netikėtomis sulankstytų radiatoriaus grotelių variacijomis, groteskišku prietaisų skydelio, įspausto vairuotojui į šakumą, išsikišimu, lyg jie būtų sutarę atlikti mechaninį feliacijos aktą. Asmeninis kiekvienos žmogiškos būtybės laikas ir erdvė amžiams suakmenėjo chromuotų ašmenų ir stiklo šerkšno voratinklyje.

Praėjus savaitei po kasininkės laidotuvių, mums važiuojant vakariniu oro uosto pakraščiu, Voenas staiga suktelėjo kelkraščio link ir partrenkė valkataujantį šunį. Jo kūno smūgis – lyg kas būtų vožęs kūju – ir gyvūnui riedant stogu pasipylęs stiklo šukių lietus mane įtikino, kad mes patys vos nežuvome avarijos metu. Voenas nė nestabtelėjo. Man teliko žiūrėti, kaip jis padidino greitį – beveik prispaudęs randų nusėtą veidą prie daužto priekinio stiklo, jis įnirtingai ranka nuo skruostų braukė duženas. Jo smurtiniai veiksmai tapo tokie nenuspėjami, kad man teko tik paimto į nelaisvę stebėtojo vaidmuo. Tačiau kitą rytą ant oro uosto stovėjimo aikštelės, kur mes palikome automobilį, stogo Voenas man ramiai parodė gilius variklio gaubto ir stogo įlenkimus. Jis įsistebeilijo į turistų pilną lėktuvą, kylantį į vakarinį dangų, pageltęs jo veidas susiraukė lyg liūdinčio vaiko. Ilgas trikampes įrantas ant automobilio kėbulo suformavo nežinomo padaro mirties jėga, jo išnykusi savastis pasireiškė naujoje šio automobilio formoje. Kiek paslapčių slypės mūsų ir šio pasaulio įžymiųjų bei galingųjų mirtyse? Ši pirma mirtis atrodė kukli, palyginti su kitomis, kuriose Voenui teko dalyvauti, ir su tomis įsivaizduotomis, kurios užpildė jo protą. Bandydamas save išsekinti, Voenas susikūrė šiurpinantį išgalvotų automobilių katastrofų ir beprotiškų žaizdų almanachą – pagyvenusių vyrų plaučiai, pradurti durelių rankenomis, jaunų moterų krūtinės, persmeigtos vairo kolonėlėmis, žavių jaunuolių skruostai, suplėšyti chromuotomis automobilių detalėmis. Jam šios žaizdos buvo tarsi raktas į naują seksualumą, gimusį iš iškrypusių technologijų. Šių žaizdų vaizdai buvo iškabinti jo proto galerijoje tarsi skerdyklos muziejaus eksponatai.

Dabar, galvodamas apie Voeną, skęstantį savo kraujyje policijos prožektorių šviesoje, aš prisimenu daugybę įsivaizduojamų katastrofų, kurias jis nupasakodavo, kol mes kartu važinėdavomės greitkeliais aplink oro uostą. Jis svajojo apie ambasadorių limuzinus, įsirėžiančius į besiverčiančias cisternas su dujomis, apie pilnus švenčiančių vaikų taksi, kaktomušomis susiduriančius prie ryškiai apšviestų ištuštėjusių prekybos centrų vitrinų. Jis svajojo apie vienas kito nepažįstančius brolius ir seseris, atsitiktinai susitinkančius susidūrimo taške sankryžose ties naftos perdirbimo įmonėmis, kai šiame susiduriančiame metale ir kruvinoje smegenų masėje, trykštančioje po aliumininėmis siurblinėmis bei cheminių medžiagų bakais, išryškėja jų nesąmoningas incestas. Voenas sumanė ir didžiulį nesutaikomų priešų susidūrimą: mirtis ir neapykanta, triumfuojantys liepsnojančiuose pakelės griovyje degaluose, užvirusiuose dažuose blausios provincijos miestelių popietės šviesos fone. Jo vaizduotė piešė ypatingas avarijas pabėgusiems kaliniams, laisvadienį pasiėmusiems viešbučių registratoriams, įspraustiems tarp vairo ir meilužių, kuriuos jie masturbavo, šlaunų. Jis galvojo apie avarijas jaunavedžių, sėdinčių greta vienas kito po smūgio į cukrų vežančio sunkvežimio priekabą. Jis mąstė apie automobilių dizainerių avarijas. Sužeisti savo automobiliuose kartu su pasileidusiomis laborantėmis jie mirdavo pačia abstrakčiausia iš visų įmanomų mirčių.

Voenas kūrė begalines tokių susidūrimų variacijas: vaikų tvirkintojas ir pervargęs nuo darbo gydytojas atkuria savo mirtis, iš pradžių susidurdami kaktomuša, o vėliau persiversdami per stogą; savo amatą palikusi prostitutė rėžiasi į betoninį greitkelio parapetą, jos sunkus kūnas pramuša skylantį stiklą, o klimaksines įsčias suplėšo gamintojo ženklas ant gaubto. Jos kraujas paliks brėžius ant išbalusio vakarinės krantinės cemento ir amžiams įsirėš į atmintį policijos mechaniko, kuris neš jos kūno dalis geltoname plastikiniame maiše. Kitą kartą Voenas matė, kaip ją pakelės degalinėje partrenkia atbuline eiga važiuojantis sunkvežimis, prispaudžia prie automobilio durelių, kai ji pasilenkia pasitaisyti batelio ant dešinės kojos; jos kūno kontūrai lieka įamžinti kruvinuose durų įlinkiuose. Jis matė, kaip ji pralaužia viaduko turėklus ir miršta – kaip vėliau mirs pats Voenas, – įsirėžusi į oro uosto autobuso stogą; patenkintų savo kelione keleivių skaičius autobuse padidės viena mirusia trumparege vidutinio amžiaus moterimi. Jis stebėjo, kaip ją, išlipančią iš savo automobilio nusilengvinti pakelės išvietėje, partrenkia lekiantis taksi, jos kūnas dar rieda šimtą pėdų, taškydamas kraują ir šlapimą.

Dabar galvoju apie kitas avarijas, kurias mes įsivaizdavom, absurdiškas sužeistųjų, luošių ir pamišėlių mirtis. Galvoju apie psichopatų avarijas, neįtikėtinus susidūrimus, persmelktus pagiežos ir pasibjaurėjimo savimi, nirčias katastrofas, sumanytas nuvarytuose automobiliuose greitkelyje tarp pavargusių biurų darbuotojų mašinų. Aš mąstau apie absurdiškas avarijas neurasteniškų namų šeimininkių, grįžtančių iš venerinių ligų klinikų ir įsirėžiančių į priemiesčio gatvėse pastatytus automobilius. Galvoju apie įsiaudrinusius šizofrenikus, vienos krypties eismo gatvėse kaktomuša susiduriančius su skalbyklų furgonais; apie depresyvius maniakus, kuriuos sutraiškė bandančius beprasmiškai apsisukti šalutiniame kelyje; apie nelaimėlius paranojikus, visu greičiu lekiančius į plytų sieną visiems žinomuose akligatviuose; apie sadistiškas slauges, netekusias galvų pavojingose sankryžose apsivertusiuose automobiliuose; apie lesbietes prekybos centrų vadybininkes, degančias savo sulamdytuose miniatiūrinių automobilių rėmuose, stebimas stoiškų pusamžių gaisrininkų; apie autistus vaikus, sutraiškytus susidūrus automobilių virtinei – jų akys mažiausiai paliestos mirties; apie autobusus, pilnus silpnapročių, kantriai skęstančių pakelės industrinių atliekų kanaluose.

Apie savo mirtį ėmiau galvoti daug anksčiau nei mirė Voenas. Su kuo aš mirsiu ir ką vaidinsiu – psichopatą, neurasteniką, besislapstantį nusikaltėlį? Voenas nuolatos svajojo apie garsenybių mirtis, išrasdavo joms įsivaizduojamas avarijas. Džeimso Dyno, Albero Kamiu, Džeinės Mensfild ir Džono Kenedžio mirtis jis apipynė įmantriais pramanais. Jo vaizduotė buvo tarsi tiras, pilnas aktorių, politikų, verslo magnatų ir televizijų vadovų figūrų. Voenas su savo fotoaparatu sekiodavo juos visur, jo objektyvas žvalgėsi nuo oro uosto Okeano terminalo stebėjimo aikštelės, iš viešbučių balkonų ir

kino studijų automobilių aikštelių. Kiekvienam iš jų Voenas sukūrė
optimalią mirtį automobilyje. Onasis su žmona turėjo mirti atku-
riant nužudymą Dylio aikštėje. Reiganą jis regėjo ilgoje susidūrusių
automobilių virtinėje, mirštantį stilizuota mirtimi, kuri simbolizavo
Voeno pamišimą dėl lytinių Reigano organų; lygiai taip pat jis buvo
apsėstas vaizdo, kaip išpuoselėtos aktorių lytinės lūpos liečiasi prie
vinilinių nuomojamų limuzinų sėdynių apvalkalų.

Kai paskutinį kartą pabandė nužudyti mano žmoną Katriną, su-
pratau, kad Voenas galutinai pasitraukė į savo smegeninėje slypintį
pasaulį. Toje pernelyg ryškiai apšviestoje karalystėje, valdomoje
smurto ir technologijų, jis dabar amžinai lėkė tuščiu greitkeliu šimto
mylių per valandą greičiu, skriejo pro apleistas degalines, stovinčias
prerijų pakraštyje, laukdamas to vienintelio priešais atšvilpiančio
automobilio. Savo mintyse Voenas matė visą pasaulį mirštant viena-
laikėje automobilio katastrofoje, milijonus mašinų, sublokštų į bai-
giamąjį trykštančių strėnų ir aušinimo skysčio suvažiavimą.

Prisimenu savo pirmąjį mažytį susidūrimą tuščioje viešbučio
automobilių aikštelėje. Mums sutrukdė policijos patrulis ir teko
paskubomis baigti mylėtis. Sukdamas iš aikštelės aš rėžiausi į ne-
išbaltintą medį. Katrina apvėmė mano sėdynę. Ta vėmalų balutė su
skystus rubinus primenančiais kraujo krešuliais, tokia diskretiška ir
tąsi, kaip ir viskas, ką išskiria Katrina, man vis dar sudaro erotinio
automobilio avarijos kliedesio esmę, labiau jaudinančią, nei jos rek-
talinės ir vaginalinės gleivės, ir tokią pat tyrą, kaip fėjų karalienės
ekskrementai ar tie mikroskopiniai skysčio burbuliukai, kurie susi-
formuodavo šalia išgaubtų jos kontaktinių lęšių.

Toje stebuklingoje balutėje, besiveržiančioje iš jos gerklės, tarsi
retai pasirodantis skystis iš tolimos ir paslaptingos šventyklos šal-
tinio, aš pamačiau savo atvaizdą – kraujo, sėklos ir vėmalų veidro-
dyje, sukurtame burnos, vos prieš keletą minučių slinkusios mano
peniu.

Dabar, kai Voenas mirė, mes gyvensime su kitais, susibūrusiais aplink jį, kaip minia aplink luošį, kurio iškreipta kūno laikysena atskleidžia slaptas jo minčių ir gyvenimų formules. Mes visi, pažinoję Voeną, priimame jo iškreiptą avarijos erotiškumą, sukeliantį tokį skausmą, kokį sukelia chirurgas, per savo padarytos žaizdos pjūvį traukiantis organą. Aš stebėjau santykiaujančias poras, naktį judančias tamsiais greitkeliais: vyrus ir moteris ties orgazmo riba. Jų automobiliai gundančiomis trajektorijomis švilpia blyksinčių priešpriešinio eismo šviesų link. Vieniši jaunuoliai prie savo pirmųjų automobilių vairo – kledarų, pasiimtų iš metalo laužo sąvartynų, – masturbuojasi, sudėvėtomis padangomis slysdami į beprasmį tikslą. Vos pavyksta išvengti susidūrimo sankryžoje, ir sėkla jau trykšta ant skilusio greičio matuoklio langelio. Vėliau šiuos išdžiūvusios sėklos likučius nutrins laku supurkšti plaukai moters, gulinčios skersai jo klubų ir apžiojusios penį, – dešinė ant vairo gulinti ranka varo automobilį per tamsą daugiaaukštės sankryžos link, trūkčiojantys stabdžiai ištraukia iš jo sėklą tą akimirką, kai jis šonu užkliudo sunkvežimį su priekaba, pilna spalvotų televizorių, kol priekiniai sunkvežimio žibintai perspėjamai mirksi galinio vaizdo veidrodėlyje, jo kairė ranka virpina jos klitorį orgazmo link. Vėliau jis žiūri, kaip draugas sodinasi paauglę ant galinės sėdynės. Tepaluotos mechaniko rankos apnuogina jos užpakalį pro šalį švilpiantiems reklaminiams skydams. Drėgni greitkeliai šmėsteli priekinių žibintų šviesoje, žviegia stabdžiai. Jis iššauna į nušiurusį plastikinį automobilio stogą, sperma pažymėdamas jo geltoną paviršių, o jo penio kotas blizga virš merginos galvos.

Išvažiavo paskutinė greitoji. Aktorę dar prieš valandą įsodino į jos limuziną. Baltas susidūrimo koridoriaus cementas po estakada vakaro šviesoje priminė slaptą pakilimo taką, nuo kurio atsiplėšusios į metalinį dangų kils paslaptingos mašinos. Stiklinis Voeno lėktuvėlis praskrido kažkur virš nuobodžiaujančių žioplių, grįžtančių į savo automobilius, galvų, virš išvargusių policininkų, rankiojančių sumaitotus keleivių lagaminus ir rankines. Aš pagalvojau apie vėstantį Voeno kūną: jo rektalinė temperatūra krito ta pačia, kaip ir kitų susidūrimo aukų, kreive. Vakaro ore ši kreivė leidosi kartu su verslo dangoraižių ir gyvenamųjų miesto namų karnizų temperatūra, ir vis labiau skyrėsi nuo šiltų savo viešbučio numeryje esančios aktorės gleivių temperatūros.

Atgal grįžau pro oro uostą. Vakarinio prospekto žiburiai apšviesdavo automobilius, draugiškai švilpiančius atšvęsti būsimų žaizdų.

2

Tikrąjį avarijų žavesį aš ėmiau suvokti po savo pirmo susitikimo su Voenu. Ši šiurkšti ir nerimą kelianti mokslininko chuligano asmenybė, judanti į priekį pora kreivų randuotų kojų, daugybę kartų sužeistų viename ar kitame susidūrime, mano gyvenime pasirodė tada, kai jo manijos akivaizdžiai ėmė virsti beprotybe.

Vieną lietaus nuskalautą birželio vakarą aš važiavau namo iš Šepertono kino studijos ir prie įvažiavimo į vakarinio prospekto estakadą mano automobilis ėmė slysti. Kelias sekundes aš šešiasdešimties mylių per valandą greičiu čiuožiau į priešingą eismo juostą. Kai automobilis trenkėsi į skiriamosios juostos bortelį, dešinė padanga sprogo ir nuplyšo nuo ratlankio. Nevaldomas automobilis kirto skiriamąją juostą ir pateko į greitojo eismo juostą. Prie jo artėjo trys automobiliai, masinės gamybos sedanai, kurių pagaminimo metus, spalvą ir išorinius aksesuarus aš vis dar prisimenu su skausmingu nuolat pasikartojančio košmaro tikslumu. Man pavyko išvengti pirmų dviejų automobilių, sugebėjau tarp jų išvairuoti karštligiškai stabdydamas. Į trečiąjį, kuriuo važiavo jauna gydytoja ir jos vyras, aš įsirėžiau kaktomuša. Vyras, dirbęs Amerikos maisto kompanijos inžinieriumi chemiku, žuvo akimirksniu, išlėkęs pro priekinį stiklą it čiužinys iš cirko patrankos žiočių. Jis mirė ant mano automobilio gaubto, jo kraujas pro suskeldėjusį priekinį stiklą trykštelėjo man ant veido ir krūtinės. Gaisrininkai, kurie vėliau išpjovė mane iš sulankstyto automobilio salono, manė, kad dėl atviros žaizdos aš baigiu mirtinai nukraujuoti.

Buvau tik lengvai sužeistas. Grįždamas namo po susitikimo su savo sekretore Renata, kuri kaip tik vadavosi iš varginančių santykių su manimi, aš vis dar buvau prisisegęs saugos diržą, kurį juosiausi sąmoningai, norėdamas išlaisvinti ją nuo trikdančios būtinybės apkabinti mane atsisveikinant. Kai mano kūnas trūktelėjo į priekį ir susidūrė su prietaisais automobilio viduje, į vairą smarkiai nusibrozdinau krūtinę, į prietaisų skydelį sutrenkiau kelių girneles, tačiau vienintelis rimtas sužeidimas buvo prie galvos odos trūkęs nervas.

Tos pačios paslaptingos jėgos, kurios neleido man pasimauti ant vairo kolonėlės, išgelbėjo ir jaunąją inžinieriaus žmoną. Ji beveik nenukentėjo, išsisuko su pora mėlynių viršutiniame žandikaulyje ir keliais išklibusiais dantimis. Per pirmąsias Ešfordo ligoninėje praleistas valandas mano sąmonėje sukosi tik vienas vaizdas – mes akis į akį užrakinti savo automobiliuose, jos mirštantis vyras guli tarp mūsų ant mano automobilio gaubto. Mes žiūrėjome vienas į kitą pro sueižėjusį stiklą, negalėdami nė pajudėti. Jos vyro ranka gulėjo delnu į viršų vos už kelių colių nuo manęs ties dešiniuoju valytuvu. Kol kūnas skrido iš automobilio sėdynės ant mano gaubto, jo ranka atsitrenkė į kažkokį kietą daiktą ir, kol aš sėdėjau, ant jos susiformavo didžiulė kraujosruva – tritono ženklas nuo mano automobilio radiatoriaus emblemos.

Prilaikoma įstrižo saugos diržo, jo žmona sėdėjo prie vairo, spoksodama į mane neįprastai oficialiu žvilgsniu, lyg klaustų savęs, kas mus suvedė? Jos dailų veidą vainikavo aukšta protingo žmogaus kakta, o akys žvelgė tuščiai ir be atsako, it Madonos iš ankstyvųjų Renesanso paveikslų, atsisakančios priimti stebuklą ar košmarą, gimusį iš jos įsčių. Tik vienąkart jos veide šmėkštelėjo jausmo šešėlis. Kai ji, rodos, pirmą kartą aiškiai pamatė mane, keista grimasa iškreipė dešinę jos veido pusę, lyg kas būtų timptelėjęs nervo stygą. Ar ji suvokė, kad kraujas, užliejęs mano veidą ir krūtinę, yra jos vyro?

Mūsų automobilius apsupo žioplių ratas, jų nebylūs veidai žvelgė į mus siaubingai rimtai. Po trumpos pauzės aplinkui staiga užvirė pašėlusi veikla. Žviegė padangos, pustuzinis automobilių nuvažiavo link greitkelio krašto, kai kurie sustojo ant skiriamosios juostos. Vakarų prospekte susidarė didžiulė spūstis, kaukė sirenos ir policijos šviesos atsispindėjo nuo palei greitkelį išsirikiavusių automobilių galinių buferių. Pagyvenęs vyriškis peršviečiamu plastikiniu lietpalčiu nerangiai trukčiojo man už nugaros galinių durų rankeną, lyg bijodamas, kad automobilis nukrės jį galingu elektros smūgiu. Jauna moteris su škotišku pledu rankose palenkė galvą prie lango. Ji žvelgė į mane iš kelių colių atstumo, suspaudusi lūpas tarsi raudotoja, spoksanti į atvirame karste gulintį negyvėlį.

Aš sėdėjau tą akimirką nejusdamas jokio skausmo, dešine ranka laikydamasis už vairo skersinio. Vis dar prisisegusi saugos diržu, mirusiojo žmona po truputį ėmė atsigauti. Nedidelė žmonių grupelė – sunkvežimio vairuotojas, atostogaujantis uniformuotas kareivis ir ledų pardavėja – tiesė rankas pro langą, liesdami jos kūną. Ji mostu nuvijo juos ir, nesužeista ranka pakrapščiusi chromuotą užraktą, išsilaisvino iš saugos diržų. Akimirką jutau, kad mes atliekame pagrindinius vaidmenis kažkokios niūrios pjesės kulminacijoje, technologijų teatre, kuriame apsieinama be repeticijų. Toje pjesėje dalyvavo ir šie sudaužyti automobiliai, ir negyvėlis, sunaikintas susidūrimo metu, ir šimtai vairuotojų, lūkuriuojančių už scenos ir plieskiančių šviesomis.

Jaunajai moteriai padėjo išlipti iš automobilio. Jos nevikrios kojos ir kampuoti galvos judesiai tarsi kartojo iškreiptą dviejų automobilių linijų aptakumą. Stačiakampis mano automobilio gaubtas ties priekiniu stiklu buvo išplėstas iš vyrių ir mano issekintam protui atrodė, kad aštrus kampas tarp gaubto ir sparno kartojasi aplink mane visur – žmonių išraiškose ir pozose, kylančioje viaduko įkalnėje, oro lainerių, atsiplėšiančių nuo tolimų oro uosto pakilimo takų, trajektorijose.

Vyras alyvų spalvos oda ir tamsiai mėlyna arabų oro linijų piloto uniforma atsargiai nuvedė jaunąją moterį nuo automobilio. Jos kojomis nevalingai tekėjo plona šlapimo srovelė ir liejosi ant kelio. Pilotas rūpestingai prilaikė ją už pečių. Stovintys šalia savo automobilių žiopliai stebėjo, kaip ant alyva aptaškytos kelio dangos plinta balutė. Blėstančioje vakaro šviesoje aplink jos silpnas kulkšnis suspindo vaivorykštės. Ji atsisuko ir įsispitrijo į mane, mėlynėmis nusėtame jos veide ryškėjo savotiška priešiškumo ir supratimo grimasa. Tačiau aš galėjau įžvelgti tik keistą jos šlaunų sąnarių, iškreiptai atsuktų į mane, formą. Mano atmintyje išliko ne šios pozos seksualumas, o siaubingų įvykių, į kuriuos mes buvome įtraukti, stilizacija, skausmo ir prievartos kraštutinumai, ritualizuoti šio jos kojų judesio, primenančio groteskišką protiškai atsilikusios mergaitės piruetą, kurį aš kažkada mačiau kažkokioje įstaigoje vaidinamoje kalėdinėje pjesėje.

Stengdamasis išlikti ramus, aš abiem rankomis tvirtai įsikibau į vairą. Mano krūtinę, gniauždamas paskutinį kvapą, krėtė nesilpstantis drebulys. Petį spaudė tvirta policininko ranka. Antras policininkas pasidėjo savo plokščią uniforminę kepurę ant automobilio gaubto šalia lavono ir ėmė plėšti duris. Tiesioginis smūgis sulamdė priekinę automobilio salono dalį, ir durelių spynos užsikirto.

Greitosios sanitaras įkišo ranką į saloną ir nupjovė man dešinę rankovę. Jaunuolis tamsiu kostiumu ištraukė mano ranką pro langą.

Adatai smingant į mano ranką pagalvojau, ar šis gydytojas, primenantis peraugusį vaiką, pakankamai subrendęs, kad turėtų profesinę kvalifikaciją.

Nerimastinga euforija lydėjo mane iki pat ligoninės. Bandydamas išsivaduoti iš nemalonių pusiau sąmoningų vaizdinių, aš apvėmiau vairą. Du gaisrininkai išpjovė dureles. Numetę jas ant kelio, jiedu įsispoksojo į mane it subadyto toreadoro pagalbininkai. Net mažiausi jų judesiai atrodė schematiški, rankos koduotų judesių seka tiesėsi manęs link. Jei kuris nors iš jų būtų prasisegęs savo grubias saržos kelnes, apnuogindamas lytinius organus, ir įspraudęs savo penį į kruviną mano pažasties plyšį, net šis keistas veiksmas stilizuotoje smurto ir išsigelbėjimo aplinkoje būtų pasirodęs priimtinas. Sėdėjau aptaškytas kito žmogaus krauju ir laukiau, kol mane nuramins, o jaunosios našlės šlapimas žaižaravo vaivorykštėmis po mano gelbėtojų kojomis. Vadovaujantis šia košmariška logika, gaisrininkai, bėgantys prie liepsnojančių sudužusių oro lainerių likučių, savo gesintuvais ant karščiu alsuojančio betono galėtų raityti nepadorius ar humoristinius šūkius, o budeliai galėtų rengti savo aukas groteskiškais kostiumais. Atsilygindamos aukos galėtų ironiškais gestais stilizuoti žengimą į aną pasaulį iškilmingai bučiuodamos savo budelių šautuvų buožes, išniekindamos įsivaizduojamas vėliavas. Chirurgai, prieš atlikdami pirmąjį pjūvį, nerūpestingai raižytų save, žmonos savo vyrų orgazmų metu atsainiai murmėtų meilužių vardus, kekšė, čiulpdama kliento penį, be nuoskaudos galėtų nukąsti mažą audinių gabalėlį nuo galvutės viršaus. Taip skaudžiai man kažkada įkando pavargusi prostitutė, suerzinta mano neryžtingos erekcijos. Tas įkandimas man priminė stilizuotus greitosios pagalbos sanitarų ir degalinių tarnautojų gestus, kiekvienas jų turėjo savo individualių judesių repertuarą.

Vėliau aš sužinojau, kad Voenas savo nuotraukų albumuose rinko sužeistųjų skyriuje budinčių seselių grimasų fotografijas. Jų tamsi oda atspindėjo slepiamą seksualumą, kurį joms sukeldavo Voenas. Jų pacientai mirdavo tarp dviejų minkštų guminių puspadžių žingsnių, kai judantys jų šlaunų kontūrai susiliesdavo palatų tarpduriuose.

Policininkai ištraukė mane iš automobilio, tvirtomis rankomis paguldė ant neštuvų. Aš jaučiausi jau atitrūkęs nuo avarijos realybės. Pabandžiau atsisėsti neštuvuose ir nusimečiau nuo kojų antklodę. Jaunas gydytojas, stumteldamas delnu į krūtinę, paguldė mane atgal. Nustebintas jo akyse blykstelėjusio susierzinimo, paklusniai atsiguliau.

Uždengtą žuvusiojo kūną nukėlė nuo mano automobilio gaubto. Tarsi išprotėjusi madona sėdėdama antrojo greitosios automobilio tarpduryje, jo žmona tuščiu žvilgsniu stebėjo vakarinį eismą. Žaizda ant dešinio skruosto truputį iškreipė jos veidą – pažeisti audiniai prisigėrė kraujo. Jau suvokiau, kad sukibusios mūsų radiatorių grotelės susipynė į neišvengiamą ir perversišką mūsų sąjungos modelį. Aš spoksojau į jos šlaunų apybrėžas. Skersai patiestas pilkas apklotas kilo kaip grakšti kopa, o kažkur po šiuo kalneliu slėpėsi jos gaktos lobis. Šis tikslus pakilimas ir nuolydis, nelytėtas protingos moters seksualumas užgožė tragiškus vakaro įvykius.

3

Raižios melsvos policijos automobilių švieselės sukosi mano galvoje visas tris savaites, kol gulėjau tuščioje greitosios pagalbos ligoninės, esančios šalia Londono oro uosto, palatoje. Šioje ramioje padėvėtų automobilių turgų, vandens saugyklų ir kardomųjų kalėjimų vietovėje, apsuptoje į Londono oro uostą vedančių greitkelių, aš sveikau po avarijos. Dvi palatos po dvidešimt keturias lovas – maksimalus galimų išgyvenusiųjų skaičius – buvo visą laiką rezervuotos galimoms aviakatastrofos aukoms. Vieną iš jų ir užėmė automobilių avarijų aukos.

Ne visas mane aptaškęs kraujas priklausė vyrui, kurį nužudžiau. Gydytojai azijiečiai greitosios pagalbos ligoninėje nustatė, kad abi mano kelių girnelės įtrūko nuo smūgio į prietaisų skydelį. Įkaitusios skausmo gijos tęsėsi nuo vidinės mano šlaunų pusės iki tarpvietės, lyg kažkas mano kojų gyslomis trauktų plonus plieninius kateterius.

Praėjus trims dienoms po pirmos kelių operacijos, aš ligoninėje pasigavau kažkokią nedidelę infekciją. Gulėjau tuščioje palatoje, užimdamas gultą, teisėtai priklausantį aviakatastrofos aukai, ir padrikai mąsčiau apie žaizdas ir skausmus, kuriuos ji galėtų jausti. Tuščios mane supančios lovos slėpė šimtus susidūrimų ir netekčių istorijų, aviakatastrofų ir avarijų kalba bylojo apie žaizdas. Dvi seselės vaikščiojo po palatą, tvarkydamos lovas ir virš jų kabančias radijo ausines. Šios mielos merginos patarnavo nematomų žaizdų šventovėje, jų besiskleidžiantis seksualumas viešpatavo tarp siaubingų veidų ir genitalijų sužalojimų.

Kol jos tvarkė mano kojų įtvarus, aš klausiausi iš Londono oro uosto kylančių lėktuvų. Šių sudėtingų kankinimo įtaisų geometrija kažkokiu būdu atrodė susijusi su minėtųjų merginų kūnų kontūrais ir apvalumais. Kas taps kitu šios lovos įnamiu? Kokia nors į Balearų salas skrendanti pusamžė banko kasininkė, užsipylusi akis džinu, drėkstančia nuo šalia sėdinčio nuobodos našlio artumo makštimi? Po avarijos, įvykusios Londono oro uoste kylant lėktuvui, jos kūnas ilgiems metams bus pažymėtas smogusios jai į pilvą sėdynės rankenos. Kiekvienąkart, sprukdama į provincijos restorano tualetą, nusilpusiai pūslei spaudžiant susidėvėjusią šlaplę, kaskart, besimylėdama su savo vyru, kenčiančiu nuo prostatito, ji prisimins tas kelias prieš katastrofą likusias sekundes. Šią įsivaizduojamą neištikimybę amžiams išsaugos jos žaizdos.

Ar mano žmona, kas vakarą lankydama mane palatoje, nors kartą susimąstė, koks seksualinis nuotykis atvedė mane į Vakarų prospekto estakadą? Kai ji sėdėdavo šalia manęs, savo įžvalgiomis akimis skaičiuodama, kiek gyvybiškai svarbių jos vyro kūno dalių liko jai pavaldžios, aš buvau įsitikinęs, kad randuose ant mano kojų ir rankų ji išskaito atsakymus į neišsakytus savo klausimus.

Seselės sukinėjosi aplink mane, atlikdamos savo skausmą keliančias užduotis. Joms keičiant drenavimo vamzdelius mano keliuose, aš stengiausi neišvemti raminamųjų, pakankamai stiprių, kad mane nuramintų, tačiau nemalšinančių skausmo. Tik smarkus seselių būdas padėjo man susiimti.

Jaunas šviesiaplaukis gydytojas rauplėtu veidu apžiūrėjo mano sumuštą krūtinę. Apatinėje krūtinkaulio dalyje, ten, kur traiškomas variklio skyrius išstūmė į saloną garso signalą, oda buvo nubruožta. Mano krūtinę puošė pusapvalė mėlynė – marmurinė vaivorykštė, pasklidusi nuo vieno spenelio iki kito. Kitą savaitę ši vaivorykštė nuosekliai keitė atspalvius, primindama automobilio lako spalvų paletę. Apžiūrėjęs save supratau, kad pagal mano žaizdų raštą automobilių konstruktorius galėtų tiksliai nustatyti mano automobilio markę ir gamybos metus. Prietaisų skydelio išsidėstymas atsispaudė mano keliuose ir blauzdikauliuose, vairo kontūrai – ant krūtinės. Šio antrojo mano kūno ir automobilio salono interjero susidūrimo metu patirtas smūgis buvo užkoduotas mano žaizdose, tarsi moters kūno apybraižos, kurias prisimeni savo oda dar keletą valandų po lytinio akto.

Ketvirtą dieną man be jokios aiškios priežasties ėmė nebeleisti nuskausminamųjų. Visą rytą aš vėmiau į emaliuotą indą, kurį prie mano veido laikė seselė. Ji žvelgė į mane geraširdišku, bet abejingu žvilgsniu. Skruostu spaudžiausi prie šalto inksto formos indo krašto. Porcelianinį indo paviršių ženklino plona kraujo gija, palikta bevardžio buvusio ligonio.

Vemdamas kakta rėmiausi į stangrią seselės šlaunį. Šalia mano mėlynėmis nusėtos burnos jos sugrubę pirštai keistai nederėjo su jauna oda. Susivokiau galvojąs apie jos lytines lūpas. Kada ji paskutinį kartą plovė šią drėgną lomelę? Kol sveikau, bendraujant su gydytojais ir seselėmis mane vis dažniau apnikdavo panašūs klausimai. Kada jie paskutinį kartą prausė savo genitalijas? Ar išrašant antibiotikus nuo streptokokų, prie jų išeinamųjų angų buvo prilipę mažų išmatų gabalėlių? Ar sanguliavimo kvapai, joms važiuojant namo, buvo įsigėrę į jų drabužius? O ar spermos ir vaginos gleivių pėdsakai ant jų rankų susijungė su netikėtoje avarijoje išsiliejusiu variklio aušinimo skysčiu? Kol žalios vėmalų masės gijos tekėjo į indą, aš jaučiau šiltus merginos šlaunies kontūrus. Prairusi jos dryžuotos medvilninės suknelės siūlė buvo sukabinta keliais juodo siūlo dygsniais. Spoksojau į yrančio audinio vijas ant apvalaus jos kairiojo sėdmens paviršiaus. Jų vingiai atrodė tokie pat sutartiniai ir reikšmingi, kaip ir žaizdos ant mano kojų ir krūtinės.

Seksualinių visko, kas mane supo, galimybių maniją manyje išlaisvino patirta avarija. Aš įsivaizdavau palatą, pilną gyjančių aviakatastrofos aukų, o kiekvieno jų sąmonėje – ištisą vaizdų viešnamį. Mūsų automobilių susidūrimas buvo aukščiausios, tačiau neįsivaizduojamos seksualinės sąjungos modelis. Mane viliojo būsimų pacientų sužalojimai – neaprėpiama prieinamų svajonių enciklopedija.

Katrina, atrodo, jautė šias mano fantazijas. Per pirmuosius jos vizitus aš dar gulėjau apimtas šoko, ir ji susipažino su ligoninės išplanavimu bei aplinka, keitėsi geraširdiškais juokeliais su gydytojais. Seselei išnešus mano vėmalus, Katrina patyrusiu judesiu prie lovos kojūgalio pritraukė metalinį staliuką ir iškrovė ant jo šūsnį žurnalų. Prisėdusi šalia manęs ji greitai nužvelgė mano neskustą veidą ir virpančias rankas.

Pabandžiau jai nusišypsoti. Siūlė mano galvos odoje – antrasis sklastymas per colį į kairę nuo tikrojo – trukdė mano veido išraiškai pasikeisti. Veidrodėlyje, kurį man prie veido laikė seselės, aš buvau panašus į išsigandusį akrobatą, apstulbintą iškreiptos savo kūno anatomijos.

– Atleisk, – paliečiau jos ranką. – Turbūt atrodau tau pernelyg uždaras.

– Su tavimi viskas gerai, – tarė ji. – Kuo puikiausiai. Atrodai panašus į vieną iš aukų madam Tiuso muziejuje.

– Gal geriau ateik rytoj.

– Ateisiu, – ji palietė mano galvą, nedrąsiai žvilgtelėdama į žaizdą. – Atnešiu tau šiek tiek kosmetikos. Kosmetines paslaugas čia tikriausiai teikia tik Ešfordo lavoninėje.

Pažvelgiau į ją daug įdėmiau. Jos šiluma ir sutuoktinei būdingas rūpestis maloniai mane nustebino. Protinė praraja tarp mano darbo komercinės televizijos studijoje Šepertone ir jos klestinčios karjeros „Pan American" užsienio kelionių skyriuje pastaruoju metu vis labiau mus skyrė. Katrina dabar lankė skraidymo pamokas ir su vienu iš savo draugų įkūrė nedidelę turistinę užsakomųjų skrydžių aviakompaniją. Šia veikla ji užsiiminėjo kryptingai, sąmoningai pabrėždama savo nepriklausomybę ir pasitikėjimą savimi, tarsi patvirtindama teises į žemę, kurios vertė vėliau neįtikėtinai pakils. Aš į visa tai reagavau kaip ir dauguma vyrų – greitai išplėtojau didelę primirštų santykių atsargą. Silpnas, bet atkaklus jos mažo lėktuvėlio burzgimas kiekvieną savaitgalį pasigirsdavo danguje virš mūsų namo tarsi aliarmo varpas, lyg mūsų tarpusavio santykių gaida.

Šviesiaplaukis gydytojas perėjo palatą, linktelėjo Katrinai. Ji nusisuko nuo manęs, apnuogindama šlaunis iki pat putlios gaktos, įžvalgiai įvertindama jaunojo vyriškio seksualinį potencialą. Pastebėjau, kad apsirengusi ji taip, lyg ruoštųsi maloniems pietums su oro linijų administratoriumi, o ne vizitui į ligoninę pas savo vyrą. Vėliau sužinojau, kad oro uoste prie jos kabinėjosi policininkai, tiriantys mirtis keliuose. Avarija ir galimas manęs apkaltinimas žmogžudyste pavertė ją savotiška įžymybe.

– Ši palata skirta aviakatastrofų aukoms, – tariau Katrinai. – Lovos laikomos tuščios.

– Jeigu šeštadienį mano lėktuvas, darydamas kilpą, rėšis į žemę, tu atsibusi ir pamatysi mane gretimoje lovoje.

Katrina apžvelgė tuščias lovas, tikriausiai įsivaizduodama kiekvieną įmanomą sužalojimą.

– Rytoj tau teks lipti iš lovos. Jie nori, kad tu vaikščiotum.

Aš pagavau jos užjaučiantį žvilgsnį.

– Vargšelis. Gal tu su jais susipykai?

Praleidau jos pastabas pro ausis, tačiau Katrina pridūrė:

– To žuvusio vyro žmona – gydytoja Helena Remington.

Ji sukryžiavo kojas ir, krapštydamasi su neįprastu žiebtuvėliu, bandė prisidegti cigaretę. Koks naujas meilužis paskolino jai šį bjaurų, akivaizdžiai vyrišką mechanizmą? Nukaltas iš lėktuvo pabūklo gilzės, jis labiau priminė ginklą. Aš sugebėdavau pajusti naujus Katrinos meilės ryšius praėjus vos kelioms valandoms nuo pirmųjų lytinių santykių su nauju partneriu. Man paprasčiausiai užtekdavo pastebėti naujus fizinius ar dvasinius jos elgsenos pakitimus – staigų susidomėjimą kokiu nors trečiarūšiu vynu ar režisieriumi, pakitusį kursą aviacijos vandenyse. Dažnai atspėdavau jos naujausio meilužio vardą anksčiau, nei ji prasitardavo per mūsų mylėjimosi kulminaciją. Šis erzinantis žaidimas buvo reikalingas mums abiem. Gulėdami kartu, mes atkurdavome visą meilės susitikimą – nuo pirmo paplepėjimo oro linijų kokteilių vakarėlyje iki pačios sueities. Šio žaidimo kulminacija buvo paskutinio meilužio vardas. Nutylimas iki paskutinės akimirkos, jis visada mums abiem sukeldavo itin aštrų orgazmą. Vienu metu jaučiau, kad šie ryšiai buvo mezgami vien tam, kad taptų mūsų seksualinių žaidimų žaliava.

31

Stebėdamas, kaip tuščioje palatoje driekiasi jos cigaretės dūmas, aš spėliojau, su kuo ji praleido keletą paskutinių dienų. Galbūt mintis, kad jos vyras nužudė kitą žmogų, suteikė netikėtą mastą jų seksualiniams santykiams, kurie greičiausiai vyko mūsų lovoje, šalia spintelės su chromuotu telefonu, pranešusiu Katrinai žinią apie mano avariją. Naujųjų technologijų elementai tapo mūsų aistros dalimi.

Suerzintas lėktuvų triukšmo, aš pasirėmiau alkūne. Dėl mėlynių ant krūtinės buvo skausminga kvėpuoti. Katrina žvelgė į mane susirūpinusi, aiškiai nerimaudama, kad galiu numirti jos akivaizdoje. Ji įkišo man tarp lūpų cigaretę. Aš dvejodamas užsitraukiau pelargonijų skonio dūmo. Šiltas cigaretės galiukas, išteptas rausvu lūpdažiu, slėpė savyje nepakartojamą Katrinos kūno skonį, kurį aš buvau pamiršęs fenolio dvoku persigėrusioje ligoninės aplinkoje. Katrina siektelėjo cigaretės, tačiau aš įsikibau į ją it vaikas. Riebaluotas cigaretės galiukas priminė man jos spenelius, gausiai padažytus lūpdažiu. Aš spausdavau juos sau prie veido, rankų, krūtinės, įsivaizduodamas, kad vietoj atspaudų lieka žaizdos. Viename košmare sapnavau ją gimdančią šėtono kūdikį, iš jos pritvinkusių krūtų tryško skystos išmatos.

Į palatą įėjo tamsiaplaukė seselė studentė. Nusišypsojusi mano žmonai, ji pakėlė antklodę ir iš mano tarpkojo ištraukė butelį su šlapimu. Įvertinusi jo turinį, vėl užmetė man ant kojų apklotą. Iš mano penio tučtuojau ėmė varvėti; aš sunkiai suvaldžiau užpakalio raumenis, nutirpusius nuo ilgos anestezijos. Gulėdamas su nusilpusia šlapimo pūsle galvojau, kodėl po šios tragiškos avarijos, kurios metu žuvo jaunas nekaltas vyras, – o jo asmenybė, nepaisant visų mano Katrinai užduotų klausimų, man taip ir liko mįslė, tarsi beprasmiškoje dvikovoje būčiau nužudęs bevardį priešininką, – visos mane supančios moterys kreipė dėmesį tik į infantiliausias mano kūno dalis. Seselės, kurios išpildavo mano šlapimą ir valydavo mano vidurius keistomis klizmomis, kurios ištraukdavo mano penį pro pižamos praskiepą ir pataisydavo drenavimo vamzdelius keliuose, kurios valydavo pūlius iš žaizdos mano galvoje ir sugrubusiomis rankomis šluostė man burną, – šios krakmolytos moterys savo darbais man priminė tas, kurios prižiūrėjo mane vaikystėje, įgaliotines, saugančias mano angas.

Seselė studentė vaikščiojo aplink mano lovą, – stangrios šlaunys po medvilniniu sijonu, – akys prikaustytos prie kerinčios Katrinos figūros. Galbūt ji, sujaudinta keistos jos vyro pozos lovoje, skaičiavo, kiek meilužių Katrina turėjo po avarijos, o gal – daug banaliau – kiek kainavo jos prašmatnus kostiumėlis ir papuošalai? O Katrina visiškai atvirai apžiūrinėjo merginos figūrą. Neslėpdama susidomėjimo ji vertino jos šlaunų, sėdmenų ir pažastų linijas, jų dermę su chromuotais mano kojų įtvarų strypais, – abstrakčią skulptūrą, skirtą pabrėžti jos grakštų kūną. Katrina turėjo įdomų lesbietišką mąstymo bruožą. Mums besimylint ji dažnai prašydavo, kad aš įsivaizduočiau ją santykiaujant su kita moterimi, dažniausiai jos sekretore Karen, griežta mergina sidabrine spalva padažytomis lūpomis, kuri viso kalėdinio biuro vakarėlio metu nejudėdama spoksojo į mano žmoną lyg medžioklinis šuo per rują. Katrina dažnai manęs klausdavo, kaip jai leistis suviliojamai Karen. Netrukus ji sugalvojo kartu apsilankyti prekybos centre, kuriame ji paprašytų Karen padėti jai išsirinkti apatinius drabužius. Aš laukiau jų prie matavimosi kabinos, tarp pakabų su naktiniais marškiniais. Retkarčiais žvilgtelėdavau pro užuolaidas ir mačiau jas kartu, jų pirštai ir kūnai buvo įsitraukę į minkštą Katrinos krūtų ir liemenėlių, skirtų pabrėžti tą ar aną pranašumą, tekstūrą. Karen lietė mano žmoną ypatingais judesiais, lengvai tapšnodama pirštų galiukais iš pradžių pečius šalia apatinių drabužių paliktų rausvų įspaudų, paskui nugarą, kurios odoje liko įsispaudęs metalinės liemenėlės sagties medalionas, ir galiausiai elastinės medžiagos paliktus įspaudus po Katrinos krūtimis. Mano žmona stovėjo apimta transo, veblendama kažką sau po nosimi, kai Karen pirštas palietė jos krūties spenelį.

Aš galvojau apie pardavėjos, pusamžės moteriškės mažu ištvirkusios lėlytės veideliu, nuobodžio kupiną žvilgsnį, sviestą man, kai šios dvi jaunos moterys išėjo užtraukdamos užuolaidą, lyg ką tik būtų pasibaigusi nedidelė seksualinė pjesė. Jos veide aiškiai mačiau prielaidą, kad aš ne tik žinojau, kas vyksta kabinoje, ir kad šios kabinos dažnai naudojamos panašiems tikslams, bet ir tai, jog įgyta patirtimi mes su Katrina vėliau pasinaudosime savo rafinuotiems malonumams. Kol aš sėdėjau automobilyje šalia žmonos, mano pirštai judėjo prietaisų skydeliu, įjungdami degimą, posūkio šviesas, pasirinkdami pavarą. Aš suvokiau, kad savo prisilietimus prie automobilio tiksliai modeliuoju pagal Karen prisilietimus prie Katrinos kūno. Jos niūrus erotizmas, elegantiškas atstumas, kurį Karen išlaikė tarp savo pirštų galiukų ir mano žmonos spenelių, buvo atkurti per mano santykį su automobiliu.

Neblėstantis erotinis Katrinos susidomėjimas savo sekretore, atrodo, apėmė tiek mintį pasimylėti su ja, tiek fizinį paties seksualinio akto malonumą. Kad ir kaip ten būtų, šis siekis suteikė visiems mūsų tarpusavio santykiams ir santykiams su kitais žmonėmis vis daugiau abstraktumo. Netrukus ji negalėdavo pasiekti orgazmo be įmantrių fantazijų apie lesbietišką seksą su Karen: įsivaizduodavo laižomą klitorį, sustandėjusius spenelius, glamonėjamą išangę. Šie vaizdiniai buvo tarsi kalba, ieškanti naujų objektų ar netgi naujo seksualumo, atskirto nuo bet kokios įmanomos fizinės išraiškos.

Leidau sau manyti, kad ji bent kartą mylėjosi su Karen, tačiau mes jau pasiekėme ribą, ties kuria tai buvo nesvarbu ir nereiškė nieko daugiau nei keletą kvadratinių colių vaginos gleivių, rankų nagų ir mėlynių ant lūpų ir spenelių. Gulėdamas ligoninės lovoje aš stebėjau, kaip Katrina vertinamai apžiūrinėja grakščias praktikantės kojas ir tvirtus sėdmenis, tamsiai mėlyną diržą, pabrėžiantį jos liemenį ir plačius klubus. Aš beveik tikėjausi, kad Katrina palies tos jaunos moters krūtinę ar pakiš ranką po trumpu jos sijonu, delno kraštu braukdama per lytines lūpas iki tarpvietės. Nė neketinanti sucypti iš pykčio ar malonumo seselė tikriausiai tvarkysis ir toliau, net nesujaudinta šio seksualinio gesto, nusipelnančio ne daugiau dėmesio nei banaliausia žodinė pastaba.

Katrina išsitraukė iš savo rankinės ploną aplanką. Atpažinau, kad tai mano parengtas televizijos reklamos klipo planas. Šiam didelio biudžeto klipui – trisdešimties sekundžių naujausio sportinio „Fordo" modelio reklamai – mes tikėjomės pasikviesti vieną iš keleto gerai žinomų aktorių. Avarijos dieną aš dalyvavau pasitarime su pakviesta laisvai samdoma režisiere Aida Džeims. Taip sutapo, kad viena iš aktorių, Elizabetė Teilor, Šepertone ketino pradėti filmuotis naujame filme.

– Skambino Aida ir sakė labai apgailestaujanti dėl to, kas atsitiko. Ar gali dar kartą peržvelgti projektą? Ji šį bei tą pakeitė.

Numečiau aplanką šalin, spoksodamas į savo atvaizdą Katrinos veidrodėlyje. Pažeistas mano galvoje nervas perkreipė žemyn mano dešinį antakį, tarsi pirato raištį, slepiantį mano naująjį būdą nuo manęs paties. Šis pokrypis buvo visur aplinkui mane. Aš žvelgiau į savo blyškų lyg manekeno veidą, bandydamas perskaityti jo bruožus. Ši lygi oda, rodos, priklausė kažkokiam mokslinės fantastikos filmo personažui, po begalinės kelionės iš savo kapsulės žengiančiam ant ryškiai apšviestos nepažįstamos planetos dirvos. Bet kurią akimirką gali prasiverti dangus...

– O kur automobilis? – paklausiau aš staiga.

– Apačioje, ligoninės automobilių aikštelėje.

– Ką? – bandydamas pažvelgti pro langą aš pasirėmiau ant alkūnės.

– Mano automobilis, ne tavo.

Aš įsivaizdavau jį pastatytą po operacinių langais lyg perspėjantį eksponatą.

– Jis visiškai sumaltas. Policija nutempė jį į automobilių aikštelę prie nuovados.

– Tu jį matei?

– Seržantas prašė manęs jį atpažinti. Jis nepatikėjo, kad tu likai gyvas, – ji užgesino cigaretę. – Man gaila gydytojos Remington vyro.

Aš pabrėžtinai pažvelgiau į laikrodį virš durų, tikėdamasis, kad ji netrukus išeis. Ši tariama užuojauta mirusiam vyrui mane erzino, tai buvo tik pretekstas moralinės gimnastikos pratimams. Jaunų seselių stačiokiškumas buvo tos pačios gailėjimosi pantomimos dalis. Aš valandų valandas galvojau apie mirusįjį, įsivaizduodamas, kaip jo mirtis paveiks žmoną ir vaikus. Mąsčiau apie paskutines jo gyvenimo akimirkas, karštligiškas sekundės dalis, pilnas skausmo ir smurto, kai jis buvo išsviestas iš jaukios namų interliudijos į metalizuotos mirties koncertiną. Štai tokie jausmai slypėjo mano santykiuose su mirusiuoju, su žaizdų ant mano rankų ir kojų realybe ir su nepamirštamu mano kūno ir automobilio prietaisų susidūrimu. Palyginti su tuo, apsimestinis Katrinos sielvartas buvo tik formalus gestas – taip ir laukiau, kada ji ims dainuoti, plekštelės sau per kaktą, palies kas antrą temperatūros kreivę palatoje, įjungs kas ketvirtas radijo ausines.

Tuo pat metu aš jaučiau, kad mano jausmai mirusiam vyrui ir jo žmonai jau buvo paliesti kažkokio neįvardijamo priešiškumo, pusiau susiformavusių svajų apie kerštą.

Katrina stebėjo, kaip aš bandau atgauti kvapą. Paėmiau jos kairę ranką ir prispaudžiau prie savo krūtinkaulio. Jos rafinuotu požiūriu aš jau ėmiau virsti emocijų kupina vaizdo kasete, užimdamas vietą šalia tų skausmo ir smurto scenų, nušviečiančių mūsų gyvenimo ribas, – televizijos naujienų apie karus ir studentų maištus, stichines nelaimes ir policijos savivalę, – kurias mes akies krašteliu žiūrėdavome per spalvotą televizorių mūsų miegamajame, masturbuodami vienas kitą. Šis per tiek pasikartojimų patirtas smurtas buvo artimai susijęs su mūsų seksu. Muštynės ir gaisrai mūsų sąmonėje susiliejo su saldžiu ereguojančių audinių virpėjimu, pralietas studentų kraujas – su lyties organų skysčiais, drėkinančiais mūsų pirštus ir burnas. Netgi skausmas, kurį aš patiriu gulėdamas ligoninės lovoje, kol Katrina stengiasi įtaisyti stiklinį šlapinimosi indą man tarp kojų, aštriais nagais braižydama penį, netgi užplūstantys krūtinę spazminiai skausmai atrodo tarsi to tikrojo prievartos pasaulio, nuraminto ir prijaukinto mūsų televizijos programų ir žurnalų puslapių, tęsinys.

Katrina paliko mane ilsėtis ir pasiėmė pusę gėlių, kurias buvo man atnešusi. Iš tarpdurio stebima pagyvenusio gydytojo azijiečio, ji stabtelėjo prie mano lovos kojūgalio ir netikėtai šiltai man nusišypsojo, lyg abejodama, ar pamatys mane dar kartą.

Į palatą įėjo seselė su dubenėliu rankoje. Ji buvo nauja greitosios pagalbos skyriaus darbuotoja, daili, ketvirtą dešimtį bebaigianti moteris. Maloniai pasisveikinusi, ji nuklojo antklodę ir ėmė atsargiai apžiūrinėti tvarsčius, jos rimtos akys slydo mėlynių kontūrais. Vieną kartą man pavyko pagauti jos žvilgsnį, tačiau ji ramiai pažvelgė man į akis ir grįžo prie darbo, braukdama kempine aplink pagrindinį tvarstį, nuo juosmens iki tarpukojo. Apie ką ji galvojo – apie vakarienę vyrui, paskutinę savo vaiko ligą? Ar ji suprato, kad mano odoje ir raumenyse it negatyve atsispaudė automobilio detalės? Galbūt ji klausė savęs, kokios markės automobilį aš vairavau, bandydama atspėti salono svorį, apskaičiuodama vairo kolonėlės kampą.

– Kurioje pusėje jį padėti?

Aš pažvelgiau žemyn. Ji laikė mano glebų penį nykščiu ir smiliumi, laukdama, kol aš nuspręsiu, ar jis turi gulėti iš kairės, ar iš dešinės pagrindinio tvarsčio pusės.

Kol galvojau apie šią keistą užduotį, mano penis trumpam virptelėjo nuo pirmos po avarijos erekcijos, truputį atpalaiduodamas jos liaunų pirštų spaudimą.

4

Šis sužadinantis postūmis, nuo kurio mano penis beveik sukietėjo, pakėlė mane iš ligoninės lovos. Po trijų dienų aš jau klibikščiavau į fizioterapijos skyrių, atlikdavau smulkius seselių pavedimus ir tryniausi aplink personalo kambarį, bandydamas paplepėti su nuobodžiaujančiais gydytojais. Pro mano nelinksmą euforiją, pro neaiškią kaltę dėl nužudyto žmogaus veržėsi gaivališko sekso pojūtis. Savaitę po avarijos klaidžiojau skausmo ir beprotiškų fantazijų labirintais. Nuo kasdienio gyvenimo banalybės, prislopintų jo dramų mano organų gebėjimas susidoroti su fiziniais sužalojimais seniai atbuko arba pasimiršo. Avarija buvo mano vienintelis tikras potyris per daugybę metų. Aš pirmą kartą susidūriau su fiziniu savo kūno, šios neišsenkamos skausmų ir išskyrų enciklopedijos, pasipriešinimu, su priešiškais kitų žmonių žvilgsniais ir su faktu, kad esama negyvėlių. Be galo ilgai bombarduotas saugaus eismo propaganda, pakliuvęs į avariją aš beveik patyriau palengvėjimą. Terorizuojamas postringavimų plakatuose ir televizijos filmų apie įsivaizduojamas avarijas, aš, kaip ir visi, jutau miglotą nuogąstavimą, kad siaubinga mano gyvenimo kulminacija buvo surepetuota prieš daugelį metų ir ištiks mane kokiame nors greitkelyje arba sankryžoje, žinomoje tik šių filmų kūrėjams. Kartais net bandydavau įsivaizduoti, kokiame eismo įvykyje žūsiu.

Mane nusiuntė į rentgeno skyrių, kuriame simpatiška mergina, aptarinėdama su manimi kino industrijos būklę, ėmė fotografuoti mano kelius. Man patiko šis pokalbis – kontrastas tarp jos idealistinio požiūrio į komercinius meninius filmus ir to, kaip dalykiškai ji elgiasi su savo keista įranga. Jos putlus kūnas, kaip ir visų laborančių aprengtas baltu chalatu, spinduliavo kažkokį klinikinį seksualumą. Jos tvirtos rankos vartė mano kūną, dėliojo kojas, tarsi aš būčiau didžiulė lankstoma lėlė, vienas iš tų sudėtingų žmogų primenančių manekenų, aprūpintų visomis įmanomomis angomis ir reakcijomis į skausmą.

Aš gulėjau ant nugaros, o ji susikaupė ties savo įrenginio okuliaru. Po jos baltu chalatu kilo kairioji krūtis, apvalumas prasidėjo tiesiai po raktikauliu. Kažkur šiame nailono ir krakmolytos medvilnės kokone, rausvu paviršiumi prisispaudęs prie iškvepinto audeklo, slėpėsi didelis nejudrus spenelis. Kol ji bandė iš naujo sudėti mano rankas, aš stebėjau jos burną, atsidūrusią vos per dešimtį colių nuo manosios. Nenujausdama mano susidomėjimo jos kūnu, mergina nuėjo prie nuotolinio valdymo pulto. Kaip aš galėjau ją atgaivinti? Įgrūsti vieną iš tų masyvių plieninių kištukų į lizdą ties jos stuburgaliu? Galbūt tada ji įsijungtų, imtų gyvai šnekučiuotis su manimi apie paskutinę Hičkoko filmų peržiūrą, pradėtų agresyvią diskusiją apie moterų teises, provokuojamai kryptelėtų klubais, apnuogintų spenelį.

Vietoj to mes žvelgėme vienas į kitą pro elektroninių aparatų raizgalynę, tarsi mūsų smegenys būtų visiškai išjungtos. Tarp šios sudėtingos aparatūros slypėjo nematomo erotizmo ir neatrastų lytinių aktų kalba. Tas pats nematomas seksualumas tvyro virš keleivių eilių oro uostų terminaluose, virš menkai pridengtų jų genitalijų ir gigantiškų oro lainerių kabinų, virš papūstų stiuardesių lūpų. Likus dviem mėnesiams iki avarijos, kelionės į Paryžių metu, mane taip sujaudino gelsvai rudo ant eskalatoriaus stovinčios stiuardesės sijono dermė su tolimais lėktuvų fiuzeliažais, lyg sidabriniai peniai palinkusiais prie jos lytinių lūpų, kad aš nevalingai paliečiau jos kairįjį sėdmenį. Kai ši visiškai beasmenė man mergina perkėlė savo svorį nuo kairiosios šlaunies ant dešiniosios, aš padėjau delną ant nedidelės duobutės truputį susidėvėjusiame audinyje. Po ilgos pauzės ji pažvelgė į mane supratingu žvilgsniu. Aš pamojavau portfeliu ir sumurmėjau kažką laužyta prancūzų kalba, tuo pat metu pantomimiškai suklupdamas ant kylančio eskalatoriaus ir iš tikrųjų vos neprarasdamas pusiausvyros.

Į Orli aš skridau skeptiškai apžiūrinėjamas dviejų šį incidentą mačiusių keleivių – olandų verslininko ir jo žmonos. Šį trumpą skrydį praleidau itin susijaudinęs, galvodamas apie keistą oro uosto pastatų architektūros geometriją, dulsvas aliuminio juostas ir medžio imitacijos laminatu padengtus plotus. Netgi mano pokalbį su jaunu barmenu oro uosto balkone paskatino lenktos lempos virš plinkančios jo galvos, plytelėmis padengtas baras ir stilizuota uniforma. Aš galvojau apie savo paskutinius su Katrina patirtus priverstinius orgazmus, apie sėklą, mano pailsusio dubens vangiai stumiamą į jos vaginą. Jos kūno apybraižas dabar užgožė metalizuotas mūsų bendrų technologinių svajonių keliamas susijaudinimas. Elegantiškos aliuminiu padengtos ventiliacijos grotelės rentgeno skyriaus sienose viliojo taip pat saldžiai, kaip ir pati šilčiausia organinė anga.

– Na štai, viskas baigta, – tvirta ranka prilaikydama nugarą, ji padėjo man atsisėsti, o jos kūnas, tarsi per sueitį, buvo taip arti manojo. Aš suėmiau jos ranką truputį aukščiau alkūnės, mano riešas palietė krūtį. Už jos ant aukštos ašies šmėkšojo rentgeno aparatas, sunkūs kabeliai vijosi grindimis. Slinkdamas koridoriumi, ant savo kūno aš vis dar jutau jos stiprių rankų spaudimą.

Pavargęs nuo ramentų, stabtelėjau prie įėjimo į moterų traumatologijos palatą ir atsirėmiau į koridoriaus sieną. Vyresnioji sesuo dėl kažko ginčijosi su jauna juodaode sesele. Pacientės gulėjo lovose ir nuobodžiaudamos jų klausėsi. Dvi iš jų kybojo su ištemptomis kojomis, tarsi įkūnydamos pamišusio gimnasto fantazijas. Vienas iš mano pirmųjų pavedimų buvo paimti šioje palatoje gulinčios pagyvenusios moters šlapimo mėginius. Ją partrenkė dviračiu važiavęs vaikas. Jai teko amputuoti dešinę koją, ir moteris visą savo laiką dabar leido ant bigės vyniodama šilkinį šalį, vis atrišdama ir užrišdama jį, lyg bandytų supakuoti siuntinį. Dieną ši miela nukvakusi senutė buvo aptarnaujančio personalo pasididžiavimas, tačiau naktį, kai nelikdavo lankytojų, ji buvo beširdiškai ignoruojama dviejų personalo kambaryje mezgančių seselių, atsisakančių jai paduoti „antį".

Vyresnioji seselė išsakė visus priekaištus ir pasisuko ant kulniukų. Pro privačios palatos, skirtos ligoninės „draugams" – aptarnaujančiam personalui, gydytojams ir jų šeimoms, – duris įžengė jauna naminiu chalatu apsigobusi moteris ir baltai apsirengęs gydytojas. Anksčiau dažnai matydavau šį vyrą – šviesdamas iš po chalato nuoga krūtine, jis vaikščiojo šen bei ten su pavedimais, ne ką reikšmingesniais už manuosius. Spėjau, kad jis – baigiamojo kurso studentas, šioje oro uosto ligoninėje užsiimantis traumatologijos chirurgija. Jo tvirta ranka laikė nuotraukų prikimštą portfelį. Žvelgdamas į jo raupuotas žiaunas, čiaumojančias kramtomąją gumą, staiga pajutau, kad palatose jis medžioja nepadorias fotografijas, pornografines rentgeno nuotraukas ir nepalankias šlapimo analizes. Jo nuogą krūtinę puošė ant juodo šilkinio raiščio užvertas žalvarinis medalionas, tačiau labiausiai jis išsiskyrė randais kaktoje ir aplink burną, – kažkokio siaubingo smurto žymėmis. Įtariau jį esant vienu iš daugelio tų jaunų ir ambicingų terapeutų oportunistų su madingu chuligano įvaizdžiu, atvirai priešiškai žvelgiančių į pacientus. Trumpa viešnagė ligoninėje jau įtikino mane, kad mediko profesija atveria duris kiekvienam, puoselėjančiam pagiežą žmonijai.

Jis nužvelgė mane nuo galvos iki kojų, su neslepiamu susidomėjimu įsižiūrėdamas į kiekvieną mano žaizdų detalę, tačiau man labiau rūpėjo moteris, kuri, pasiramsčiuodama lazda, artėjo manęs link. Akivaizdu, kad ši atrama buvo apsimestinė, laikysenos maskuotė, leidžianti jai pakeltu petimi prisidengti veidą ir paslėpti ant dešiniojo skruostikaulio ryškėjančią mėlynę. Paskutinį kartą mačiau ją sėdinčią greitosios pagalbos automobilyje šalia savo vyro lavono ir žvelgiančią į mane su ramia neapykanta.

– Daktarė Remington? – jos vardas man išsprūdo nė nepagalvojus. Ji priėjo prie manęs sugniaužusi lazdą taip, lyg ruoštųsi smogti man per veidą. Savitu kaklo judesiu ji pasuko galvą, tyčia priversdama mane pažvelgti į jos sužalojimus. Priėjusi prie durų ji sustojo, laukdama, kol aš pasitrauksiu iš kelio. Aš žvilgtelėjau į randą jos veide, nematomo užtrauktuko paliktą trijų colių ilgio siūlę, nusitęsusią nuo dešinės akies kampučio iki lūpos kraštelio. Kartu su kitais veido bruožais ši nauja linija sudarė jautrios ir nepagaunamos rankos delno linijų įspūdį. Skaitydamas įsivaizduojamą biografiją, atsispaudusią šioje odoje, aš įsivaizdavau, kaip ji, prašmatni, tačiau persidirbusi studentė medikė, gauna gydytojo diplomą ir išsiveržia iš užsitęsusios paauglystės į neaiškių seksualinių santykių laikotarpį, kuris laimingai baigiasi giliu emociniu ir seksualiniu ryšiu su jos vyru inžinieriumi, ir jie naršo vienas kito kūną it Robinzonas, ieškantis, ką pasiimti iš laivo. Ir štai jos oda, ties viršutine lūpa sutraukta į virtinę įrantų, jau pažymėta našlystės atspaudu, beviltiška mintimi, kad ji jau niekada nesusiras kito meilužio. Aš negalėjau nepastebėti jos tvirto kūno, slypinčio po rausvai violetiniu chalatu, jos krūtinės ląstos, iš dalies uždengtos balto gipso dėklu, besitęsiančiu nuo peties iki kitos pažasties ir primenančiu klasikines Holivudo vakarines sukneles.

Nusprendusi mane ignoruoti, ji manieringai nužingsniavo koridoriumi, lyg procesijoje demonstruodama savo pyktį ir žaizdas.

Per paskutines ligoninėje praleistas dienas man nebeteko vėl pamatyti gydytojos Helenos Remington, tačiau gulėdamas tuščioje palatoje aš nuolat galvojau apie mus suvedusią avariją. Tarp manęs ir šios artimo žmogaus netekusios jaunos moters atsirado galingas erotizmo laukas, lyg aš nesąmoningai būčiau norėjęs jos gimdoje atkurti jos mirusį vyrą. Įsiskverbęs į jos vaginą tarp rentgeno skyriaus metalinių spintelių ir baltų kabelių, aš kažkokiu būdu prikelčiau jos vyrą iš mirusiųjų, sukurčiau jį iš jos kairės pažasties ir chromuoto kameros stovo dermės, iš mūsų genitalijų ir elegantiško objektyvo gaubto.

Klausiausi, kaip personalo kambaryje ginčijasi seselės. Mane aplankė Katrina. Ji išmuiluodavo savo ranką tualetiniu muilu, gulinčiu drėgnoje muilinėje mano spintelėje, ir, blyškiomis akimis žvelgdama pro gėlėmis apstatytą langą, masturbuodavo mane, kaire ranka laikydama cigaretę, skleidžiančią man nepažįstamą aromatą. Ji net neraginama pradėjo kalbėti apie avariją ir policijos tyrimą. Žalą, padarytą mano automobiliui, ji nupasakojo atkakliai lyg vojeristas, beveik įkyrėdama man šiurpiais pasakojimais apie sulamdytas radiatoriaus groteles ir krauju aptaškytą gaubtą.

– Tau reikėjo nueiti į laidotuves, – pasakiau jai.

– Tikrai reikėjo, – skubiai atsakė ji. – Jie laidoja mirusiuosius taip greitai – o turėtų palikti juos ramybėje kelis mėnesius. Aš nebuvau pasiruošusi.

– Remingtonas buvo.

– Manau, kad taip.

– O kaip jo žmona? – paklausiau. – Ta moteris, gydytoja. Tu su ja mateisi?

– Ne, nesugebėjau. Jaučiuosi jai per daug artima.

Katrina jau žvelgė į mane visai kitaip. Nejau ji mane gerbė, o gal pavydėjo man dėl to, kad aš kažką nužudžiau turbūt vieninteliu būdu, kuriuo vienas žmogus gali teisėtai atimti gyvybę kitam? Avarijos metu mirtį apibūdina greičio, agresijos ir smurto vektoriai. Ar Katrina reagavo į vaizdus, kurie ryškėjo – lyg būtų įspausti fotojuostoje ar sugauti nejudančiame žinių reportažo kadre, – tamsiuose brėžiuose ant mano kūno, tikruose vairo kontūruose? Randai virš sutraiškytos mano kairiojo kelio girnelės tiksliai atkartojo išsikišusius valytuvų ir gabaritinių šviesų jungiklius. Man artėjant prie orgazmo, ji ėmė muilinti ranką kas dešimt sekundžių, pamiršusi cigaretę ir sukaupusi dėmesį tik ties šia mano kūno anga, kaip ir seselės, slaugiusios mane pirmąsias valandas po avarijos. Sėklai trykštant į Katrinos delną, ji tvirtai gniaužė mano penį, tarsi šie pirmi po avarijos patirti orgazmai būtų kokie nors unikalūs įvykiai. Jos susižavėjimo kupinas žvilgsnis priminė man italę guvernantę, nusamdytą finansininko iš Milano, su kuriuo mes praleidome vieną vasarą Sestri Levantėje. Ši manieringa senmergė visą save paaukojo dvejų metų berniuko, kurį ji prižiūrėjo, lytiniam organui: ji nuolat bučiavo jo mažytį penį, čiulpsėjo galvutę, kad ji pritvinktų, ir rodė jį visiems neapsakomai didžiuodamasi.

Aš linktelėjau su pasitenkinimu. Mano ranka gulėjo po sijonu ant jos šlaunies. Jos mielas ištvirkęs protas, metų metus mitęs dietiniu aviakatastrofų, karų kino kronikų, prievartos, spinduliuojančios tamsiuose kino teatruose, maistu, tučtuojau susiejo avariją ir visas košmariškas nelaimes, tapusias jos seksualinių žaidimų dalimi. Pro skylutę pėdkelnėse aš glamonėjau šiltą jos šlaunies minkštimą, o paskui slystelėjau smiliumi per šviesių gaktos plaukų kuokštą, kurie it liepsnos raitėsi aplink jos lytines lūpas. Atrodė, kad jos įsčias sukūrė ekscentriškas galanterininkas.

Tikėdamasis nuraminti pernelyg didelį susijaudinimą, kurį mano patirta avarija sukėlė Katrinai, – atmintyje ji atgijo kaip daug reikšmingesnė, daug žiauresnė ir vaizdingesnė, – aš ėmiau glostyti jos klitorį. Netrukus, galvodama apie kažką kitą, ji išėjo, stipriai pabučiavusi mane į lūpas, lyg vargiai būtų tikėjusis vėl išvysti mane gyvą. Ji vis kalbėjo, tarsi galvodama, kad mano avarija dar neįvyko.

5

– Tu ketini vairuoti? Tačiau tavo kojos, Džeimsai, tu juk vos gali paeiti!

Mes lėkėme Vakarų greitkeliu septyniasdešimt mylių per valandą greičiu ir Katrinos balse buvo girdėti raminančios susierzinusios žmonos gaidelės. Aš atsilošiau atlenkiamoje jos sportinio automobilio sėdynėje, džiaugsmingai stebėdamas, kaip ji kovoja su šviesiais į akis lendančiais plaukais, o jos laibos rankos pleveno nuo veido prie leopardinės miniatiūrinio vairo įmautės. Po mano avarijos Katrina ėmė vairuoti dar blogiau, tarsi būtų įsitikinusi, kad nematomos visatos jėgos dabar saugos jos padrikas keliones betoniniais greitkeliais.

Paskutinę akimirką spėjau parodyti į priešais mus išdygusį sunkvežimį, jo priekaba-šaldytuvas ant nudilusių padangų mėtėsi į šonus. Maža Katrinos pėdutė nuspaudė stabdį ir ji aplenkė sunkvežimį lėtojo eismo juosta. Aš padėjau automobilių nuomos kompanijos brošiūrą ir pro tvorą pažvelgiau į tuščius atsarginius oro uosto pakilimo takus. Virš nutrinto betono ir neprižiūrėtos žolės, rodos, tvyrojo neaprėpiama ramybė. Stiklinė oro uosto terminalų sienų užuolaida ir daugiaaukštės automobilių aikštelės taip pat priklausė šiai užburtai karalystei.

– Tu ketini išsinuomoti automobilį... Ar ilgam?

– Savaitei. Būsiu netoli oro uosto. Galėsi užmesti į mane akį, būdama biure.

– Būtinai.

– Katrina, man reikia kuo dažniau išeiti iš namų, – aš pabeldžiau kumščiais į priekinį stiklą. – Negaliu amžinai sėdėti balkone. Pradedu jaustis kaip kambarinis augalas.

– Suprantu.

– Ne, nesupranti.

Visą praėjusią savaitę, kai mane taksi iš ligoninės atvežė namo, aš sėdėjau atlošiamame krėsle mūsų buto balkone, pro chromuotus turėklus iš dešimto aukšto žvelgdamas žemyn į nepažįstamą peizažą. Pirmą popietę aš vos pažinau begalinį betono ir konstrukcinio plieno landšaftą, per plačius pakilimo takus besitęsiantį nuo piečiau oro uosto esančių greitkelių iki naujo gyvenamojo rajono, išsidriekusio palei Vakarų prospektą. Mūsų namas Dreitono parke stovėjo apie mylią į šiaurę nuo oro uosto, malonioje modernių gyvenamųjų namų salelėje, apsuptoje degalinių ir prekybos centrų, ir nuo didžiosios Londono dalies atskirtoje šiaurinio aplinkkelio įvažiavimu, nutiestu pro mus ant elegantiškų betoninių kolonų. Žvelgiau žemyn į šią didžiulę dinamišką skulptūrą, kurios kelio danga, atrodė, kilo virš balkono turėklų, į kuriuos aš rėmiausi. Aš vėl ėmiau orientuotis šioje raminančioje didybėje, jos gerai pažįstamose greičio, tikslo ir krypties perspektyvose. Mūsų draugų namai, parduotuvė, kurioje aš pirkdavau gėrimus, mažas nekomercinis kino teatras, kuriame mes su Katrina žiūrėdavome amerikiečių avangardinius filmus ir vokiečių mokomąsias erotines juostas, – visa tai vėl iš naujo išsirikiavo palei greitkelio aptvarą. Aš suvokiau, kad žmogiškieji šio technologinio landšafto gyventojai daugiau nebebuvo ryškiausi jo skiriamieji ženklai, tapatybės ribų raktai. Miela eisena Fransis Voring, nuobodžiaujančios mano bendradarbio žmonos, žengiančios pro vietinio prekybos centro sukamuosius vartelius, mūsų pasiturinčių kaimynų naminiai kivirčai, visos šio apsnūdusio priemiesčio anklavo viltys ir įgeidžiai, persmelkti tūkstančių neištikimybių, nublanko prieš masyvią greitkelio užtvarų ir automobilių aikštelių realybę, jų pastovią ir nekintančią geometriją.

Važiuodamas su Katrina iš ligoninės namo, aš stebėjausi, kaip stipriai mano akyse pasikeitė automobilio vaizdinys, tarsi mano avarija būtų apnuoginusi jo tikrąją prigimtį. Remdamasis į galinių taksi durelių langą aš pajutau, kad virpu, sužavėtas Vakarų prospekto kryžkelėmis judančių transporto srautų. Blyksintys popietės šviesų ašmenys, atsispindintys nuo chromuotų prietaisų skydelio papuošimų, vertė šiurpti mano odą. Aštrus radiatorių grotelių mirgėjimas, automobiliai, palei saulės apšviestą priešpriešinio eismo juostą lekiantys į Londono oro uostą, gatvių įrengimas ir kelio ženklai, – visa tai atrodė grėsmingai, hiperrealiai, jaudinančiai ir priminė vis greičiau besisukančius žaidimų automatų būgnus, kuriuos iš blogą lemiančių salių išleido į šiuos greitkelius.

Pastebėjusi pernelyg didelį mano susijaudinimą, Katrina greitai nuvedė mane į liftą. Mūsų buto proporcijos vizualiai pasikeitė. Pastūmęs Katriną, aš įžengiau į verandą. Priemiesčio gatves apačioje buvo užpildę automobiliai, jie grūdosi prekybos centrų stovėjimo aikštelėse, ropštėsi ant šaligatvių. Vakarų prospekte įvyko dvi nedidelės avarijos, didžiulės automobilių voros nusitęsė palei estakadą, kertančią įvažiavimo į oro uostą tunelį. Nervingai sėdėdamas balkone ir iš svetainės stebimas Katrinos, – ji žiūrėjo į mane uždėjusi ranką ant telefono, – aš pirmąkart žvelgiau į tą didžiulį lakuotos celiuliozės švytėjimą, nusitęsusį nuo horizonto pietuose iki šiaurinių greitkelių. Patyriau neapibrėžtą kraštutinio pavojaus jausmą, tarsi tučtuojau turėjo įvykti avarija, į kurią būtų įtraukti visi šie automobiliai. Iš oro uosto kylančių reisinių lėktuvų keleiviai bėgo iš nelaimės zonos, palikdami artėjantį autogedoną.

Šios nelaimės nuojauta manęs neapleido. Pirmąsias dienas namuose aš praleidau balkone, stebėdamas eismą greitkelyje, nusprendęs pirmas pamatyti automobilių sukeltos pasaulio pabaigos ženklus. Jos asmeninė repeticija buvo mano patirta avarija.

Pašaukiau į balkoną Katriną ir parodžiau jai nedidelį susidūrimą kelyje, įsiliejančiame į greitkelį iš pietų. Baltas skalbyklos sunkvežimis atsitrenkė į sedano, pilno vestuvininkų, galą.

– Tai labai panašu į repeticiją. Kai kiekvienas atskirai surepetuos savo dalį, prasidės tikrasis vaidinimas.

Ties Londono centru leidosi oro laineris, virš triukšmo drebinamų stogų išlindo važiuoklė.

– Dar vienas nekantrių aukų krovinys... Nenustebčiau, jei pamatyčiau Breigelį ar Hieronimą Boschą, nuomotais automobiliais važinėjančius greitkeliais.

Katrina klūpojo šalia manęs, alkūne remdamasi į chromuotą krėslo atramą. Tokias pačias blyksinčias šviesas aš mačiau ant savo automobilio prietaisų skydelio, kai, sėdėdamas prie sulankstyto vairo, laukiau, kol mane išlaisvins policija. Katrina susidomėjusi tyrinėjo pasikeitusius mano kelio girnelės kontūrus. Visi iškrypimai jai keldavo natūralų ir sveiką smalsumą.

– Džeimsai, man reikia vykti į biurą, ar su tavimi viskas bus gerai? – pasiteiravo ji, žinodama, kad prieš ją galiu panaudoti bet kokią gudrybę.

– Žinoma. Ar eismas tapo dar intensyvesnis? Atrodo, kad dabar triskart daugiau automobilių, negu buvo prieš avariją.

– Niekada neatkreipiau į tai dėmesio. Tikiuosi, tu nebandysi pasiskolinti sargo mašinos?

Jos rūpestingumas mane jaudino. Atrodė, kad po avarijos ji pirmą kartą per daugelį metų su manimi jaučiasi laisvai. Mano avarija buvo užgaidi patirtis, tokią patirtį išmokė suprasti jos gyvenimas ir seksualumas. Mano kūnas, kurį ji įtraukė į vienerių ar daugiau mūsų vedybinio gyvenimo metų perspektyvą, dabar ją vėl jaudino. Pakerėta randų ant mano krūtinės, ji bučiavo juos drėgnomis nuo seilių lūpomis. Šiuos laimingus pokyčius jutau ir aš. Anksčiau šalia manęs lovoje gulintis Katrinos kūnas atrodė nejudrus ir bedvasis it seksualinėms pramogoms skirta lėlė gumine vagina. Žemindama save dėl kažkokių jai vienai žinomų iškreiptų priežasčių, ji neskubėdavo į darbą ir šlaistydavosi po butą, apnuogindama įvairias kūno dalis ir puikiai suvokdama, kad mažiausiai mano trokštamas dalykas yra ta šviesiaplaukė anga tarp jos kojų.

Paėmiau ją už rankos.

– Aš nusileisiu kartu su tavimi – ir nežiūrėk į mane priekaištingai.

Stovėdamas prie namo durų aš žvelgiau, kaip ji savo sportiniu automobiliu išvyksta į oro uostą, jos baltas tarpukojis it linksmas semaforas blyksėjo tarp judrių šlaunų. Kintanti jos gaktos geometrija džiugino nuobodžiaujančius vairuotojus, stebinčius besisukančias degalinės kuro siurblių rodykles.

Jai išvažiavus, aš negrįžau namo, o pasukau į rūsį. Garaže stovėjo tuzinas automobilių, priklausančių mūsų name gyvenančioms advokatų žmonoms ir kino studijos administratoriams. Mano automobiliui skirta vieta vis dar buvo tuščia, cementas išmargintas pažįstamu alyvos dėmių raštu. Prieblandoje aš stengiausi įžiūrėti prabangius automobilių prietaisų skydelius. Ant galinio lango palangės gulėjo šilkinis šalikas. Aš prisiminiau, kaip Katrina nupasakojo man mūsų asmeninius daiktus, po avarijos išsibarsčiusius ant mano automobilio grindų ir sėdynių, – atostogų maršruto žemėlapį, tuščią nagų lako buteliuką, reklaminį žurnalą. Šitų mūsų gyvenimo gabalėlių vienuma, tarsi griovėjų brigada būtų išnešusi ir nepaliestus sudėjusi į krūvą mūsų prisiminimus ir intymias smulkmenas, buvo to paties banalybių perdirbimo proceso dalis, kurį aš išjudinau Remingtono mirtimi. Pilka jo švarko rankovės eglutė, jo marškinių apykaklės baltuma buvo įamžintos šia avarija.

Pasigirdo greitkelyje įstrigusių automobilių signalai – tikras nevilties choras. Spoksodamas į alyvos dėmes savo automobilio laikymo vietoje, aš galvojau apie mirusįjį. Atrodė, kad šitose nenuplaunamose žymėse įamžinta visa avarija – policija, žiopliai ir greitosios sanitarai, palinkę ties manimi, sėdinčiu sudaužytame automobilyje.

Man už nugaros ėmė groti radijo imtuvas. Į savo kontorą, esančią šalia lifto durų, sugrįžo sargas, jaunuolis su juosmenį siekiančiais plaukais. Jis prisėdo ant metalinio stalo, viena ranka apkabindamas savo mažametę draugę. Ignoruodamas jų pagarbius žvilgsnius, aš vėl išėjau į kiemą. Medžiais apsodintas prospektas, vedantis į greta esantį prekybos centrą, buvo tuščias, po platanais vienas prie kito rikiavosi automobiliai. Patenkintas, kad galiu pasivaikščioti ir manęs nepartrenks kokia nors agresyvi namų šeimininkė, aš patraukiau prospektu, retkarčiais atsiremdamas pailsėti į nušveistą tvorelę. Buvo beveik dvi, ir prekybos centras stovėjo tuščias. Automobiliai užpildė pagrindinę gatvę, stovėjo abiejose skersgatvių pusėse, o jų vairuotojai ilsėjosi namuose, slėpdamiesi nuo svilinančių saulės spindulių. Aš perėjau plytelėmis išklotą plotą prekybos centro viduryje ir laiptais užlipau į ant stogo esančią automobilių aikštelę. Visos vietos buvo užpildytos, priekinių langų eilės atspindėjo saulę lyg stiklinis skydas.

Atsirėmęs į betoninį balkoną, aš staiga suvokiau, kad mane supa neaprėpiama tyla. Keista skrydžių kontrolės užgaida nekilo ir nesileido nė vienas lėktuvas. Eismas greitkelyje sustingo į pietus vedančioje eilėje. Vakarų prospekte automobiliai ir oro uosto autobusai stovėjo laukdami, kol užsidegs žalia. Trijų juostų automobilių vora kilo įvažiavimu į viaduką ir tęsėsi nauja pietine greitkelio atšaka.

Per ligoninėje praleistas savaites kelininkai nutiesė didžiules plokštes daugiau nei pusę mylios į pietus. Įdėmiai žvelgdamas į tylos gaubiamą vietovę aš supratau, kad visa ši zona, apibrėžianti mano gyvenimo kraštovaizdį, dabar apribota nenutrūkstančio dirbtinio horizonto, sudaryto iš kylančių greitkelių turėklų ir pylimų, jų įvažiavimų ir sankryžų. Jie, it kelių mylių skersmens krateris, supo ir apačioje esantį eismą.

Tyla užsitęsė. Tik retkarčiais šen bei ten prie vairo krusteldavo žmogus, papuolęs į kepinančios saulės spąstus, ir man susidarė įspūdis, kad pasaulis sustojo. Žaizdos ant mano kelių ir krūtinės buvo tarsi švyturėliai, suderinti su daugybe siųstuvų, siunčiančių man pačiam nežinomus signalus, kurie išjudins šį didžiulį sąstingį ir išlaisvins vairuotojus tikrajam tikslui, skirtam jų transportui, – elektriniam greitkelio rojui.

Katrinai vežant mane į biurą Šepertone, prisiminimai apie šią neįprastą tylą vis dar sklandė mano mintyse. Vakarų prospektu nuo vienos spūsties prie kitos švilpė ir vingiavo automobilių srautas. Virš galvos dangų virpino kylančių iš Londono oro uosto lėktuvų varikliai. Trumpas žvilgsnis į sustingusį pasaulį, tūkstančius vairuotojų, sėdinčių automobiliuose iki horizonto besitęsiančiuose greitkeliuose, atrodė lyg nepakartojama šio mechaninio kraštovaizdžio vizija, kvietimas tyrinėti mūsų sąmonės viadukus.

Norėdamas galutinai pasveikti, aš turėjau išsinuomoti automobilį. Atvežusi mane į komercinės televizijos studiją, Katrina, nenorėdama manęs išleisti, ėmė be jokio tikslo važinėtis po automobilių aikštelę. Jaunas nuomos kompanijos vairuotojas, laukiantis prie savo automobilio, stebėjo, kaip mes sukame aplink jį ratus.

– Renata važiuos su tavimi? – paklausė Katrina.

Šio atsitiktinio spėjimo įžvalgumas mane nustebino.

– Pamaniau, kad ji galėtų pasivažinėti su manimi – vėl vairuoti automobilį gali būti daug sudėtingiau, nei aš įsivaizdavau.

– Mane stebina, kad ji leidžia tau ją vežti.

– Nejaugi pavydi?

– Galbūt, truputį.

Norėdamas išvengti bet kokio artimo šių dviejų moterų pokalbio, aš atsisveikinau su Katrina. Valandą praleidau studijoje, kartu su Polu Voringu aptarinėdamas sutarties keblumus, trukdančius automobilio reklamos vaizdo klipo gamybai. Jame mes planavome nufilmuoti aktorę Elizabetę Teilor. Tačiau visą šį laiką mano dėmesys krypo į išsinuomotą automobilį, laukiantį manęs aikštelėje. Visa kita – dėl manęs suirzęs Voringas, užgriozdintos biuro patalpos, darbuotojų keliamas triukšmas – buvo tik blyškus šešėlis, prastai filmuota juosta, kurią vėliau iškirps.

Aš vos suvokiau, kad į automobilį įlipo Renata.

– Ar tau viskas gerai? Kur mes važiuojame?

Aš stebeilijausi į mano rankose esantį vairą, aptakų, pilną skalių ir švieselių prietaisų skydelį.

– Kurgi daugiau?

Agresyvus šio standartinio salono dizainas, pernelyg išsikišę prietaisų gaubtų apvadai pabrėžė manyje augantį ryšio tarp mano kūno ir automobilio jausmą, kuris buvo stipresnis nei Renatos plačių klubų ir stiprių kojų, paslėptų po raudonu sintetiniu lietpalčiu, trauka. Palinkau į priekį, kad randais savo krūtinėje pajusčiau vairą, o keliais prisispausčiau prie degimo jungiklio ir rankinio stabdžio.

Po pusvalandžio pasiekėme įvažiavimą į viaduką. Vakarinis automobilių srautas judėjo Vakarų prospektu ir ties išsišakojimu skilo į dvi dalis. Pravažiavau pro savo avarijos vietą, už pusės mylios apsisukau ir grįžau atgal tuo keliu, kuriuo važiavau likus kelioms minutėms iki susidūrimo. Kelias priešais atsitiktinai buvo tuščias. Už keturių šimtų jardų į kalną slinko sunkvežimis. Kelkraštyje pasirodė juodas sedanas, tačiau aš aplenkiau jį. Po kelių sekundžių mes pasiekėme susidūrimo vietą. Aš pristabdžiau ir sustojau ant betoninio krašto.

– Ar mums galima čia stovėti?

– Ne.

– Nuostabu, gal policija ims ir padarys tau išimtį.

Aš atsagsčiau Renatos lietpaltį ir padėjau ranką jai ant šlaunies. Ji leido man pabučiuoti ją į kaklą, tarsi meili guvernantė raminamai spausdama man petį.

– Mes buvome susitikę prieš pat avariją, – tariau jai. – Ar pameni? Mes mylėjomės.

– Ar tu vis dar sieji mane su savo avarija?

Aš ranka perbraukiau jos šlaunį. Jos vaginos gėlė buvo drėgna. Pravažiavo oro uosto autobusas, į mus žvelgė keleiviai, vykstantys į Štutgartą, o gal į Milaną. Renata užsisagstė lietpaltį ir nuo prietaisų skydelio lentynėlės pasiėmė „Paris Match". Ji vartė žurnalą, žvilgčiodama į bado aukų Filipinuose nuotraukas. Toks panirimas į gretutinę smurto temą pasirodė esantis saugus jaukas. Jos rimtos lyg tyrinėtojos akys vos stabtelėjo ties visą puslapį užėmusia išpurtusio lavono nuotrauka. Mirties ir luošumo melodija vinguriavo po jos vartančiais pirštais, o aš spoksojau į kelių sankirtą. Ten, už penkiasdešimt jardų nuo vietos, kurioje dabar sėdžiu, aš užmušiau žmogų. Šio kelių susikirtimo anonimiškumas priminė man Renatos kūną, dailų jo angų ir vingių rinkinį, kuris vieną dieną taps toks pat keistas ir prasmingas kokiam nors vyrui iš priemiesčio, kaip man tapo šis kelkraštis ir skiriamoji eismo juosta.

Artėjo baltas kabrioletas. Man lipant iš automobilio, jo vairuotojas mirktelėjo šviesomis. Aš kluptelėjau, nuo pastangų vairuojant pavargo mano dešinysis kelis. Po kojomis mėtėsi šiukšlės: sudžiūvę lapai, cigarečių pakeliai, stiklo kristalai. Šios priekinių stiklų duženos, nušluotos į šalį ištisų greitosios pagalbos sanitarų kartų, priminė mažus upelius. Aš įsispoksojau į tą dulkiną vėrinį, tūkstančių avarijų nuolaužas. Per penkiasdešimt metų čia duš vis daugiau automobilių, stiklai susirinks į plačią juostą, o dar per trisdešimt metų virs dygiu stikliniu paplūdimiu. Atsiras nauja paplūdimio valkatų karta – jie tupės ant sudužusių langų krūvų, rausis jose ieškodami nuorūkų, panaudotų prezervatyvų ir pamestų monetų. Palaidota po šiuo nauju geologiniu sluoksniu, suneštu automobilių avarijų amžiaus, gulės ir mano maža mirtis, tokia pat bevardė, kaip ir užsitraukęs rumbas ant suakmenėjusio medžio.

Šimtas jardų už mūsų kelkraštyje stovėjo dulkinas amerikietiškas automobilis. Pro purvu aptaškytą priekinį stiklą mus stebėjo vairuotojas, pečiu remdamasis į dureles. Man einant per kelią, jis pakėlė fotoaparatą su priartinančiu objektyvu ir įsispoksojo į mane.

Renata, taip pat nustebinta agresyvios jo laikysenos, pažvelgė į jį per petį. Ji atidarė man dureles.

– Galėsi vairuoti? Kas jis – privatus detektyvas?

Mums pajudėjus Vakarų prospekto link, aukšta, odiniu švarku apvilkta vyriškio figūra nužingsniavo ten, kur mes buvome sustoję. Man buvo smalsu pamatyti jo veidą, ir kelio žiede aš apsukau ratą.

Mes pravažiavome per dešimt pėdų nuo jo. Laisvu, atsainiu žingsniu jis vaikštinėjo tarp kelyje paliktų padangų žymių, tarsi savo mintyse būtų bandęs atsekti kažkokią nematomą trajektoriją. Saulė išryškino randus jo kaktoje ir aplink burną. Jam pažvelgus į mane, aš pažinau jaunąjį gydytoją, kurį paskutinį kartą mačiau išeinantį iš Helenos Remington palatos Ešfordo nelaimingų atsitikimų ligoninėje.

6

Dienoms bėgant aš iš studijos nuomos kompanijos išsinuomojau keletą automobilių. Išbandžiau visus įmanomus variantus – nuo masyvaus amerikietiško kabrioleto iki prestižinio sportinio sedano ir itališko mažalitražio automobilio. Tai, kas iš pradžių buvo tik ironiškas gestas, skirtas išprovokuoti Renatai ir Katrinai – abi moterys norėjo, kad aš daugiau niekada nevairuočiau, – greit įgijo kitą atspalvį. Mano pirmoji trumpa kelionė į avarijos vietą vėl atgaivino žuvusiojo šmėklą ir, kas dar svarbiau, mano paties mirties apmatus. Kiekvienu iš šių automobilių aš pravažiavau susidūrimo keliu, įsivaizduodamas skirtingos mirties ir kitos aukos galimybes, kitokius žaizdų kontūrus.

Nepaisant bandymų išvalyti šių automobilių salonus, buvusių jų vairuotojų pėdsakai tapo sunkiai ištrinami – kulnų įspaudai ant guminio kilimėlio po pedalais, sausa nuorūka, sutepta nebemadingu lūpdažiu ir prilipinta prie peleninės kramtomąja guma; vinilinę sėdynę dengė keistų įbrėžimų kompozicija, atrodanti tarsi įnirtingos kovos choreografija, lyg du invalidai būtų ant jos vienas kitą prievartavę. Nuleisdamas kojas ant pedalų aš jaučiau visus tuos vairuotojus, tūrį, kurį užėmė jų kūnai, jų slaptus pasimatymus, bandymus pabėgti, nuobodulį – visa, ką jie patyrė prieš mane. Jausdamas šiuos sluoksnius aš turėdavau prisiversti vairuoti atsargiai, derindamas savo kūno galimybes prie vairo kolonėlės ir saulės skydelių.

Iš pradžių aš beprasmiškai klaidžiojau pietiniais oro uosto aplinkkeliais, tarp Stenvelo vandens rezervuarų, stengdamasis priprasti prie nepažįstamo automobilio valdymo. Toliau aš judėdavau aplink rytinį oro uosto sparną iki Harlingtono greitkelio išsišakojimo. Ten piko valandos eismas didžiule metaline potvynio banga nešdavo mane perpildytomis Vakarų prospekto eismo juostomis.

Savo avarijos valandą aš neišvengiamai atsidurdavau šalia įvažiavimo į estakadą, – arba pro avarijos vietą mane nunešdavo staiga iki kito šviesoforo pajudėjęs eismas, arba įstrigdavau didžiuliame kamštyje, vos už dešimties beprotiškų pėdų nuo susidūrimo vietos.

Kai pasiėmiau amerikietišką kabrioletą, nuomos kompanijos darbuotojas perspėjo:

– Na ir turėjome vargelio jį valydami, pone Balardai. Automobiliu naudojosi viena iš jūsų televizijos kompanijų – kameros laikiklių pėdsakų liko ant stogo, ant durelių ir gaubto.

Mintis, kad šis automobilis vis dar naudojamas kaip įsivaizduojamų įvykių dalis, atėjo man į galvą išvažiuojant iš Šepertono garažo. Kaip ir kiti mano nuomoti automobiliai, šis buvo nusėtas įbrėžimais, kulnų žymėmis, cigarečių dėmėmis ir apsitrynęs, visa tai švietėsi pro prašmatnią Detroito apdailą. Rausvoje vinilo sėdynėje žiojėjo skylė, pakankamai gili, kad būtų galima įkišti vėliavos kotą ar, tarkime, penį. Šios žymės tikriausiai buvo paliktos įsivaizduojamų dramų, sukurtų įvairių šį automobilį naudojusių kompanijų, metu. Jas paliko aktoriai, vaidinę detektyvus ir smulkius vagišius, slaptus agentus ir nuo persekiojimo besislapstančias paveldėtojas. Nutrintas vairas saugojo prakaitą šimtų rankų, gulėjusių ant jo režisieriaus ir operatoriaus nustatyta pozicija.

Judėdamas kartu su popietiniu Vakarų prospekto eismo srautu, galvojau, ką reiškia būti nužudytam šioje didžiulėje prasimanymų sankaupoje, kai mano kūnas bus pažymėtas šimtų kriminalinių serialų antspaudu, parašu pamirštų dramų, kurios, metų metus dulkėjusios lentynose, paliktų savo paskutinius įrašus mano odoje.

Šių gundančių vilionių sutrikdytas aš staiga suvokiau, kad važiuoju ne savo juosta, ir atsidūriau ties įvažiavimu į sankryžą. Sunkus automobilis su galingu varikliu ir pernelyg jautriais stabdžiais priminė man, kad aš pervertinau save galvodamas, jog mano žaizdos ir patyrimas tilps į mastodontiškus jo kontūrus. Nusprendęs išsinuomoti tokio pat modelio automobilį, kokį ir turėjau anksčiau, aš įsukau į oro uostan vedantį kelią.

Įvažiavimą į tunelį blokavo didžiulis kamštis, ir aš per priešpriešinio eismo juostą įsukau į oro uosto aikštę – didžiulį tranzitinių viešbučių ir visą naktį veikiančių prekybos centrų plotą. Išvažiavęs iš šalia tunelio esančios degalinės, pažinau oro uosto kekšių, vaikštančių pirmyn atgal po mažą salelę greitkelio viduryje, trijulę. Pastebėjusi mano automobilį ir tikriausiai nusprendusi, kad aš esu amerikiečių arba vokiečių turistas, vyriausioji pasuko manęs link. Vakarėjant jos žirgliojo po šią salelę, spoksodamos į pro šalį lekiančius automobilius, tarsi bandydamos pakabinti pakeleivius kelionei per Stiksą. Ši trijulė – šneki brunetė iš Liverpulio, buvusi visur ir šioje žemėje dariusi viską; drovi ir besmegenė blondinė, kurios, matyt, geidė Katrina, nes dažnai atkreipdavo į ją mano dėmesį; ir vyriausioji, moteris išsekusiu veidu ir sunkiomis krūtimis, kažkada dirbusi degalinėje Vakarų prospekte, – rodos, sudarė primityvų seksualinį vienetą, galintį patenkinti bet kokį klientą.

Aš stabtelėjau šalia salelės. Man linktelėjus, priėjo vyriausioji moteris. Ji atsirėmė į keleivio dureles, tvirtą dešinę ranką prispausdama prie chromuoto lango rėmo. Įsėdusi į automobilį, ji pamojavo dviem savo draugužėms, kurių vyzdžiai judėjo tarsi valytuvai ant šviesą atspindinčių pravažiuojančių automobilių stiklų.

Aš įsiliejau į oro uosto tuneliu judantį eismą. Kresnas šalia manęs sėdinčios moters kūnas išnuomotame amerikietiškame automobilyje – nežinomoje daugybės antrarūšių serialų žvaigždėje – privertė mane prisiminti maudžiančius kelius ir šlaunis. Nepaisant sustiprintų stabdžių ir galingo vairo mechanizmo, vairuoti amerikietišką automobilį buvo labai sunku.

– Kur mes važiuojame? – paklausė ji, mums išnirus iš tunelio ir pasukus link oro uosto pastatų.

– Į daugiaaukštę automobilių aikštelę – vakarais viršutiniai aukštai būna tušti.

Oro uoste ir jo apylinkėse buvo pilna įvairiausio rango prostitučių. Vienos jų trynėsi viešbučiuose, kitos – diskotekose, kuriose niekada negrojo muzika, jos patogiai įsikūrė šalia tūkstančių tranzitinių keleivių, niekada nepaliekančių oro uosto, miegamųjų; antrasis sąstatas dirbo oro uosto salių minioje ir antro aukšto restoranuose. Be to, buvo daugybė laisvų verslininkių, kasdien nuomojančių kambarius palei greitkelį nusidriekusiuose gyvenamuosiuose kvartaluose.

Mes privažiavome automobilių aikštelę šalia krovininių oro kompanijų pastato. Aš pakilau nuožulniu šio įmantraus ir pretenzingo statinio grindiniu ir sustojau laisvoje vietoje ant stogo. Įgrūdusi banknotus į sidabrinės spalvos rankinę, moteris nuleido savo susirūpinusį veidą prie mano tarpkojo ir įgudusia ranka atitraukė kelnių užtrauktuką. Ji paeiliui ėmė čiulpti mano penį ir smaukyti ranka, patogiai susidėjusi alkūnes man ant kelių. Kai ji spustelėjo savo kieta alkūne, aš krūptelėjau iš skausmo.

– Kas atsitiko tavo kojoms? Buvai pakliuvęs į avariją?

Iš jos lūpų tai nuskambėjo kaip seksualinis įžeidimas.

Kai ji atgaivino mano penį, aš pažvelgiau į jos tvirtą nugarą, jos pečių kontūrų, pažymėtų liemenėlės petnešėlėmis, ir įmantriai išpuošto amerikietiško automobilio prietaisų skydelio dermę, į tai, kaip dera mano kairės rankos apgniaužta jos sėdynė ir pasteliniai laikrodžio bei greičio matuoklio apvadai. Paskatintas šių pridengtų skalių, mano pirštas pajudėjo jos išangės link.

Iš automobilių grūsties aidėjo signalai. Virš mano peties švystelėjo blykstė, nušviesdama tos pavargusios prostitutės veidą, apžiojusį mano penį, jos blankius plaukus, įsipynusius tarp chromuotų vairo stipinų. Nustūmęs ją į šalį, pažvelgiau žemyn. Oro uosto autobusas įsirėžė į šalia Europos terminalo pastatyto taksi bagažinę. Du taksistai ir vyriškis, vis dar spaudžiantis rankoje plastikinį portfelį, iš kabinos kėlė sužeistą vairuotoją. Aikštėje susigrūdo didžiulis autobusų ir taksi kamštis. Blyksintis šviesomis policijos automobilis užsiropštė ant šaligatvio ir pajudėjo per keleivių ir nešikų minią, savo buferiu nuversdamas lagaminą.

Per dvidešimtį pėdų nuo mūsų, už kelių tuščių stovėjimo vietų, ant automobilio, pastatyto šalia betoninio balkono, antvožo sėdėjo vyras su fotoaparatu. Aš atpažinau tą patį aukštą žmogų su randais ant kaktos. Tai jis stebėjo mane netoli avarijos vietos prie estakados, jis buvo tas gydytojas baltu chalatu ligoninėje. Jis ištraukė iš blykstės padūmavusią lempą ir nuspyrė po automobiliais. Traukdamas iš polaroido nuotrauką, jis žvelgė į mane be ypatingo susidomėjimo, tarsi seniai ant šios daugiaaukštės aikštelės stogo būtų pratęs matyti prostitutes ir jų klientus.

– Gali baigti. Jau užtenka.

Moteris kaip tik ėmė graibyti man tarpkojį, ieškodama pradingusio penio. Liepiau jai sėstis. Žvelgdama į galinio vaizdo veidrodėlį, ji pasitaisė plaukus ir, net nepažvelgusi į mane, išlipo iš automobilio ir patraukė lifto link.

Aukštaūgis su fotoaparatu nužirgliojo per stogą. Aš pažvelgiau pro galinį jo automobilio langą. Keleivių sėdynė buvo nukrauta fotografijos įranga – kameromis, trikoju, kartonine dėže su blyksčių lempomis. Prie prietaisų skydelio buvo pritvirtinta kino kamera.

Laikydamas kamerą kaip pistoletą, jis patraukė atgal prie automobilio. Jam priėjus prie turėklų, policijos automobilio šviesos apšvietė jo veidą. Aš supratau, kad mačiau šį raupuotą veidą daugybę kartų. Jis šmėžavo tuzine pamirštų televizijos programų ir informacinėse suvestinėse – tai buvo Voenas, daktaras Robertas Voenas, buvęs kompiuterių specialistas. Būdamas vienas pirmųjų naujojo tipo televizijos mokslininkų, jis derino asmeninį žavesį – tankūs juodi plaukai, užkritę ant randuoto veido, JAV armijos striukė, – su agresyvia ir teatrališka paskaitų skaitymo maniera ir visišku įsitikinimu savo kuriamo dalyko – kompiuterinio tarptautinio eismo sistemų valdymo – svarba. Pirmosiose laidose, pasirodžiusiose prieš trejus metus, Voenas sukūrė stiprų įvaizdį mokslininko chuligano, galingu motociklu besiblaškančio tarp laboratorijos ir televizijos centro. Apsiskaitęs, ambicingas ir linkęs į savireklamą, jis dėl savo naivaus idealizmo ir keisto požiūrio į automobilį bei jo tikrąją reikšmę mūsų gyvenime išvengė landaus karjeristo su filosofijos daktaro diplomu likimo.

Jis stovėjo prie turėklų, žvelgdamas į avariją apačioje. Žibintai apšvietė ryškias aplink burną ir virš antakių esančių randų briaunas, sulaužytą ir vėl atstatytą nosį. Aš prisiminiau, kodėl staiga baigėsi Voeno karjera: įpusėjęs savo televizijos laidų ciklą, jis buvo rimtai sužeistas per motociklo avariją. Jo veidas ir charakteris iki šiol akivaizdžiai saugojo prisiminimus apie šį smūgį, siaubingą susidūrimą kažkur šiauriniame greitkelyje, kai jo kojas sulaužė galiniai sunkvežimio ratai. Jo veido bruožus, atrodžiusius taip, lyg jie būtų paslinkti į šoną, po avarijos atkūrė pagal išblukusias reklamines nuotraukas. Dėl randų ant kaktos ir aplink burną, paties kerpamų plaukų ir dviejų išmuštų iltinių dantų jis atrodė apsileidęs ir atšiaurus. Kaulėti jo riešai kyšojo iš atspurusių odinio švarko rankovių it antrankiai.

Jis įsėdo į automobilį. Tai buvo dešimties metų senumo linkolnas kontinentalis, tokio paties modelio, kokiame mirė prezidentas Kenedis. Aš prisiminiau, kad Voenas buvo tiesiog pamišęs dėl Kenedžio nužudymo.

Jis atbulomis pravažiavo pro mane, kairiuoju linkolno sparnu brūkšteldamas man per kelį. Voenui nuvažiavus žemyn, aš perėjau stogą. Šis pirmas susitikimas su Voenu išliko ryškus mano atmintyje. Žinojau, kad motyvai, dėl kurių jis mane seka, neturi nieko bendro su kerštu ar šantažu.

7

Po susitikimo ant oro uosto aikštelės stogo aš nuolat jutau Voeno buvimą. Jis daugiau manęs nesekiojo, tačiau sukinėjosi aplink mano gyvenimą, lyg egzaminatorius aplink studentą. Važiuodamas Vakarų prospektu aš dairiausi į galinio vaizdo veidrodėlį ir nužvelginėjau tiltų turėklus bei daugiaaukštes automobilių aikšteles.

Tam tikra prasme aš jau įtraukiau Voeną į savo painias paieškas. Aš sėdėdavau sausakimšose viaduko eismo juostose, aliumininėms oro uosto autobusų sienoms užstojant man dangų. Žvelgdamas iš balkono į perpildytas betonines greitkelio juostas, kol Katrina ruošė pirmuosius vakaro gėrimus, aš buvau įsitikinęs, kad šio beribio metalinio kraštovaizdžio raktas slypi griežtoje ir nesikeičiančioje kelių struktūroje.

Laimei, mano mesianistinį apsėdimą greitai pastebėjo mano partneris Polas Voringas. Jis susitarė su Katrina, kad mano vizitai į studiją truktų ne ilgiau kaip valandą. Kadangi lengvai pavargdavau ir susierzindavau, pradėjau absurdišką kivirčą su Voringo sekretore. Tačiau visa tai atrodė nereikšminga ir banalu. Daug svarbiau buvo tai, kad vietinis platintojas atgabeno man naują automobilį.

Katrinai labai įtartina atrodė tai, kad aš pasirinkau tokios pat markės ir modelio automobilį kaip ir tas, su kuriuo patyriau avariją. Netgi šoniniai veidrodėliai ir purvasargiai buvo tokie patys. Ji ir sekretorė kritiškai stebėjo mane iš krovininių skrydžių biuro kiemo. Karen stovėjo už Katrinos, sulenkta alkūne vos liesdama jos mentikaulį, lyg jauna ir ambicinga matrona, globėjiškai žvelgianti į savo naujausią atradimą.

– Kodėl mus čia pakvietei? – paklausė Katrina. – Vargu ar kas nors iš mūsų nori dar kartą pamatyti automobilį.

– Ir tikrai ne šitą, ponia Balard.

– Voenas tave persekioja? – paklausiau Katrinos. – Mačiau, kaip kalbėjaisi su juo ligoninėje.

– Jis prisistatė policijos fotografu. Ko jis norėjo?

Karen spoksojo į mano randuotą galvą.

– Sunku patikėti, kad jis kada nors dirbo televizijoje.

Man sunkiai sekėsi atlaikyti Karen žvilgsnį. Ji stebėjo mane kaip plėšrūnas iš už sidabru blizgančių savo narvo virbų.

– Ar kas nors jį matė per avariją?

– Net neįsivaizduoju. Galvoji suorganizuoti jam dar vieną avariją?

Katrina vaikštinėjo aplink automobilį. Ji įsitaisė priekinėje keleivio sėdynėje ir mėgavosi aštriu naujutėlio vinilo kvapu.

– Aš išvis negalvoju apie susidūrimą.

– Tu per daug dėmesio skiri tam žmogui, Voenui. Kalbi apie jį visą laiką.

Katrina žvelgė pro nepriekaištingai švarų stiklą, jos šlaunys buvo praskėstos.

Aš, tiesą sakant, galvojau apie kontrastą tarp jos dosnios pozos ir stiklinės oro uosto pastatų sienų užuolaidos, vitrininio naujo automobilio blizgesio. Sėdėdamas čia, tikslioje kopijoje automobilio, kuriame vos nepraradau savo gyvybės, aš įsivaizdavau sulamdytą priekinį buferį ir radiatoriaus groteles, tikslius deformuoto gaubto kontūrus, išsiklaipiusias langų atramas. Katrinos gaktos trikampis priminė man, kad pirmo lytinio akto šiame automobilyje dar nebuvo.

Northolto policijos automobilių aikštelėje aš parodžiau savo leidimą sargui, šio lūženų muziejaus saugotojui. Įėjęs sudvejojau, lyg vyras, atsiimantis žmoną iš keistų iškrypusių sapnų sandėlio. Saulėkaitoje prie galinės apleisto kino teatro sienos stovėjo apie dvidešimt sudaužytų automobilių. Tolimajame asfaltuotos aikštelės gale stovėjo sunkvežimis, kurio vairuotojo kabina buvo sulankstyta, lyg erdvė, supanti vairuotojo kūną, staiga būtų susispaudusi.

Šių deformacijų suerzintas, ėjau nuo vieno automobilio prie kito. Pirmajam automobiliui, mėlynam taksi, buvo smogta į kairės pusės priekinį žibintą. Vienoje pusėje kėbulas buvo nepaliestas, o kitoje – priekinis ratas įspaustas į keleivio vietą. Šalia jo stovėjo baltas sedanas, suplotas kažkokios gigantiškos transporto priemonės. Didžiulių padangų žymės kirto jo sulamdytą stogą, spausdamos jį prie tarp sėdynių esančio pavarų dėžės gūbrio.

Atpažinau savo automobilį. Nuo priekinio buferio karojo buksyrinio lyno likučiai, kėbulas aptaškytas alyva ir purvu. Ranka perbraukęs purviną stiklą, pro langą pažvelgiau į vidų. Nedvejodamas atsiklaupiau priešais automobilį ir įsispoksojau į sulamdytą sparną ir radiatoriaus groteles.

Keletą minučių žvelgiau į sudaužytą automobilį, bandydamas atmintyje atkurti jo pradinį vaizdą. Mano sąmonėje nuleistomis padangomis riedėjo siaubingi įvykiai. Labiausiai mane nustebino, kaip smarkiai jis sugadintas. Avarijos metu gaubtas susigarankščiavo virš variklio skyriaus, paslėpdamas nuo manęs tikrąją per susidūrimą padarytą žalą. Abu priekiniai ratai ir variklis buvo sugrūsti į vairuotojo pusę, dugnas išlenktas. Ant gaubto vis dar buvo matyti kraujas – juodi upeliukai vinguriavo valytuvų link. Smulkūs taškeliai margino sėdynę ir vairą. Pagalvojau apie mirusį vyrą, gulintį ant automobilio gaubto. Per nubrozdintą laką srūvantis kraujas turėjo daugiau potencijos nei sperma, vėstanti jo sėklidėse.

Kiemą perėjo du policininkai, vedini juodu vokiečių aviganiu. Jie pažvelgė į mane, besisukinėjantį aplink automobilį, taip, lyg būtų nepatenkinti, kad aš jį liečiu. Jiems nuėjus, vargais negalais atidariau automobilio dureles.

Aš nusileidau ant dulkinos, dėl išlinkusio dugno atgal atsilošusios plastikinės sėdynės. Vairo kolonėlė buvo pakilusi per šešis colius ir beveik rėmėsi man į krūtinę. Įkėliau į automobilį savo nervingas kojas ir padėjau pėdas ant guminių pedalų plokštelių, kurias variklis taip įstūmė į vidų, kad keliai rėmėsi man į krūtinę. Priešais mane esantis prietaisų skydelis buvo išsilenkęs, laikrodžio ir greičio matuoklio stiklai suskilę. Sėdėdamas šiame deformuotame salone, tarp dulkių ir drėgnų apmušalų, aš bandžiau įsivaizduoti save susidūrimo metu, kai nutrūko saitai, siejantys mano kūną, tariamą odos tvirtumą, ir jį palaikančią struktūrą. Prisiminiau, kaip su draugu lankiausi Imperiniame karo muziejuje ir tą patosą, kuris supo Antrojo pasaulinio karo japonų lakūno kamikadzės kabiną. Elektros laidų painiava ir suplyšusio audeklo juostos ant grindų puikiai išreiškė uždarą karo meto atmosferą. Drumstame kabinos viršaus organiniame stikle įstrigo Ramiojo vandenyno dangaus gabalėlis ir šildomų lėktuvų, stovinčių lėktuvnešio denyje, variklių riaumojimas.

Stebėjau, kaip du policininkai kitoje kiemo pusėje dresuoja vilkšunį. Sunkiai atvožiau daiktinę; viduje, padengti purvu ir plastiko dalelėmis, gulėjo keli daiktai, kurių Katrina nesugebėjo atgauti: kelių žemėlapių rinkinys, švelnios pornografijos romanas, kurį, kaip drąsų pokštą, man padovanojo Renata, ir polaroidu daryta jos nuotrauka, kurioje ji sėdi automobilyje šalia vandens saugyklų, apnuoginusi savo kairę krūtį.

Ištraukiau peleninę. Man į sterblę įkrito metalinis samtelis, išspjaudamas apie tuziną lūpdažiu suteptų nuorūkų. Kiekviena iš šių cigarečių, Renatos surūkytų, kol mes važiuodavome iš biuro į jos butą, man priminė vieną iš mūsų pasimylėjimų.

Žvelgdamas į šį mažą susijaudinimo ir galimybių muziejų, aš supratau, kad mano automobilio kėbulas, panašus į keistą transporto priemonę, skirtą visiškam luošiui, buvo idealus mano vis sparčiau besivystančios ateities modulis.

Pro automobilį kažkas praėjo. Nuo sarginės pasigirdo policininko balsas. Pro priekinį stiklą aš pamačiau moterį baltu lietpalčiu, ji ėjo palei sudaužytų automobilių eilę. Patraukli moteris, vaikštanti šiame nušiurusiame kieme nuo vieno automobilio prie kito, lyg būtų išsilavinusi paveikslų galerijos lankytoja, atitraukė mano dėmesį nuo minčių apie dvylika nuorūkų. Moteris priėjo prie gretimo automobilio, sulamdyto kabrioleto, patyrusio galingą susidūrimą. Jos inteligentiškas pervargusios gydytojos veidas, plati kakta, pridengta kirpčiukų, palinko virš pradingusios keleivio vietos.

Nė nepagalvojęs, aš ėmiau ropštis iš automobilio, tačiau vėl ramiai klestelėjau ant sėdynės. Helena Remington nusisuko nuo sudaužyto kabrioleto. Ji pažvelgė į mano automobilio gaubtą, akivaizdžiai neatpažindama mašinos, nužudžiusios jos vyrą. Pakėlusi galvą, ji pro priekinį stiklą pamatė mane, sėdintį prie deformuoto vairo tarp jos vyro kraujo dėmių. Jos ryžtingų akių žvilgsnis nukrypo vos truputėlį, tačiau viena ranka nevalingai pakilo prie skruosto. Ji apžiūrėjo mano automobiliui padarytą žalą, jos žvilgsnis judėjo nuo sulankstytų radiatoriaus grotelių prie piestu pasistojusio mano laikomo vairo.

Tada ji ėmėsi kruoščiai apžiūrinėti mane, tirdama pakančia akimi gydytojo, kuris susidūrė su sunkiu ligoniu, kenčiančiu nuo daugybės simptomų, kilusių dėl nuolaidžiavimo savo silpnybėms.

Ji pajudėjo sulamdyto sunkvežimio link. Mane vėl pribloškė jos neįprasta kojų padėtis: vidinis šlaunų, einančių nuo plataus dubens, paviršius buvo nukreiptas į išorę, tarsi atvertas visai sudaužytų automobilių eilei. Nejaugi ji laukė, kol aš pasirodysiu policijos automobilių aikštelėje? Aš žinojau, kad mes neišvengsime tam tikros konfrontacijos, tačiau mano sąmonėje ji jau buvo užgožta kitų jausmų – gailesčio, erotiškumo, netgi keisto pavydo žuvusiam vyrui, kurį pažinojo ji, bet ne aš.

Ji grįžo. Aš laukiau šalia savo automobilio ant tepalo dėmėmis išmarginto asfalto.

Ji parodė į sudaužytus automobilius:

– Kaip po viso to žmonės sugeba žiūrėti į automobilius, aš jau nekalbu apie tai, kaip jie sugeba juos vairuoti?

Man nieko neatsakius ji pridūrė:

– Aš bandau surasti Čarlzo automobilį.

– Jo čia nėra. Galbūt policija vis dar jį tiria. Teismo medicinos ekspertai...

– Jie sakė, kad jis čia. Dar šįryt, – ji kritiškai žvilgtelėjo į mano automobilį, lyg būtų nustebinta jo iškreiptos geometrijos ir tučtuojau būtų radusi jos atitikmenį mano charakterio trūkumuose. – Čia tavo automobilis?

Ji ištiesė pirštinėtą ranką ir palietė radiatoriaus groteles, čiuopdama nuplėštą chromuotą juostelę, lyg ant šio krauju aptaškyto paviršiaus ieškotų savo vyro buvimo pėdsakų. Aš niekada nesikalbėjau su šia pavargusia moterimi ir jaučiau, kad man reikėtų bent formaliai atsiprašyti už jos vyro mirtį ir tą pasibaisėtiną prievartą, į kurią abu buvome įtraukti. Tuo pat metu jos pirštinėta ranka, gulinti ant sulankstyto chromo, kėlė man aštrų seksualinį jaudulį.

– Suplėšysit savo pirštines, – aš patraukiau jos ranką nuo grotelių. – Nemanau, kad mums derėjo čia ateiti. Keista, kad policija nesutrukdė.

Jos tvirtas riešas priešinosi mano pirštams, reikšdamas aikštingą susierzinimą, tarsi ji būtų repetavusi prieš mane nukreiptą keršto aktą. Jos žvilgsnis uždelsė ties juodais konfeti, išbarstytais ant gaubto ir sėdynių.

– Ar jūs buvote sunkiai sužeistas? – paklausė ji. – Manau, kad mes vienas kitą matėme ligoninėje.

Aš supratau, kad nieko negaliu jai atsakyti, suvokdamas tą apsėstumą išduodantį judesį, kuriuo ji nuo skruosto braukė plaukus. Jos tvirtas kūnas, kupinas nervingo seksualumo, efektingai derėjo su aplamdytu ir purvu aptaškytu automobiliu.

– Man nereikia automobilio, – pratarė ji. – Iš tikrųjų aš pasijutau nejaukiai, sužinojusi, kad už jo pavertimą laužu man teks primokėti.

Ji trypčiojo aplink automobilį, žvelgdama į mane priešiškumo ir susidomėjimo kupinu žvilgsniu, tarsi pripažindama, kad ją čia ateiti paskatino tokios pat neaiškios priežastys, kaip ir mane. Pajutau, kad savo rafinuotu dalykišku protu ji jau bando suvokti galimybes, kurias aš jai atvėriau, apžiūrinėdamas tą iškrypusios technologijos įrankį, nužudžiusį jos vyrą ir užtvėrusį pagrindinį jos gyvenimo kelią.

Pasisiūliau ją pavežti iki ligoninės.

– Ačiū, – ji ėjo priekyje. – Į oro uostą, jei galima.

– Į oro uostą? – aš pajutau keistą netekties jausmą. – Kodėl? Jūs išvykstate?

– Dar ne... Tačiau, kaip suprantu, kai kuriems žmonėms norėtųsi, kad kuo greičiau išvykčiau.

Ji nusiėmė akinius nuo saulės ir pavargusi nusišypsojo:

– Mirtis gydytojo šeimoje sukelia pacientams dvigubai daugiau nerimo.

– Manau, kad baltai rengiatės ne tam, kad juos nuramintumėte?

– Jei tik panorėčiau, vaikščiočiau nors ir su kruvinu kimono.

Mes įsėdome į mano automobilį. Ji pasakė, kad dirba Londono oro uosto imigracijos departamente. Stengdamasi laikytis nuo manęs atokiau, ji atsirėmė į dureles, kritiškai nužvelgdama automobilio vidų, tą akivaizdžiai atgijusį glotnų vinilą ir poliruotą stiklą. Ji sekė, kaip valdymo pultu juda mano rankos. Jos šlaunis, prispausta prie įkaitusio plastiko, įgavo itin jaudinančią formą. Spėjau, kad ji apie tai kuo puikiausiai žino. Siaubingas paradoksas – mūsų seksualinis aktas taptų jos keršto man aktu.

Intensyvus judėjimas užkimšo šiaurinį greitkelį tarp Ešfordo ir Londono oro uosto. Saulė kepino perkaitusį plastiką. Pavargę vairuotojai, persisvėrę pro atidarytus langus, klausėsi nepabaigiamų žinių transliacijų. Įsprausti į autobusų sėdynes būsimieji lėktuvų keleiviai stebėjo nuo tolimų oro uosto pakilimo takų kylančius lainerius. Šiauriau oro uosto pastato galėjau įžvelgti aukštą viaduką, apžergusį oro uosto įvažiavimo tunelį, užkimštą transportu, kuris, rodos, ketino atkurti sulėtintą mūsų susidūrimo versiją.

Helena Remington iš lietpalčio kišenės išsitraukė cigarečių pakelį. Ji paieškojo ant prietaisų skydelio gulinčio žiebtuvėlio, jos dešinė ranka judėjo virš mano kelių it nervingas paukštis.

– Gal norite cigaretės? – jos stiprūs pirštai nuplėšė celofaną. – Aš pradėjau rūkyti Ešforde... Gana kvaila.

– Pažvelkite į šį automobilių srautą, aš pasirengęs praryti pirmų po ranka pasitaikiusių raminamųjų.

– Dabar jų dar daugiau, pastebėjote tai, ar ne? Tą dieną, kai išėjau iš Ešfordo, man kilo toks neįprastas jausmas, kad visi šie automobiliai susirinko dėl kažkokios ypatingos, man nesuprantamos priežasties. Atrodė, kad eismas tapo dešimt kartų intensyvesnis.

– Gal tai tik vaizduotės žaismas?

Ji parodė cigarete į mano automobilio vidų:

– Jūs nusipirkote lygiai tokį patį automobilį. Tokios pat formos ir spalvos.

Ji atgręžė į mane veidą, jau nebesistengdama paslėpti rando. Aš aiškiai jutau stiprią į mane nukreiptą priešiškumo bangą. Eismo srautas pasiekė Stanvelo sankryžą. Judėjau paskui eilę automobilių, galvodamas, kaip ji elgsis lytinio akto metu. Mėginau įsivaizduoti jos plačią burną, apžiojančią vyro penį, aštrius pirštus, tarp sėdmenų bandančius užčiuopti prostatą. Ji palietė geltoną šalia stabtelėjusios degalų cisternos šoną; didžiulis galinis ratas buvo vos už šešių colių nuo jos alkūnės. Kol ji skaitė ant cisternos užrašytą priešgaisrinę instrukciją, aš žiūrėjau į jos tvirtas blauzdas ir šlaunis. Ar ji bent nutuokė, kas bus tas vyras ar moteris, su kuriais ji atliks kitą lytinį aktą? Pasikeitus šviesoforo šviesai, pajutau krustelint savo penį. Iš greitojo eismo juostos pasukau į lėtesnę ir sustojau priešais degalų cisterną.

Viaduko arka kilo viršum horizonto. Jo šiaurinė rampa buvo užstota balto plastiko fabriko stačiakampio. Tyros, tiesios šio pastato linijos mano mintyse susiliejo su jos blauzdų ir šlaunų, prispaustų prie vinilinės sėdynės, kontūrais. Akivaizdžiai nenujausdama, kad mes judame mūsų pirmojo susitikimo vietos link, Helena sukryžiuodavo ir ištiesdavo kojas, judindama šias baltas apimtis pro mus slenkančios plastiko gamyklos fone.

Kelias po mumis nėrė žemyn. Mes lėkėme link kelio, vedančio į Dreitono parką, atšakos. Ji griebėsi už langelio atramos, vos neišmesdama į sterblę cigaretės. Mėgindamas suvaldyti automobilį, aš prispaudžiau penio galvutę prie apatinio vairo krašto. Automobilis šoko prie savo pirmojo susidūrimo vietos, esančios ant skiriamosios juostos. Po mumis įstrižai skleidėsi baltos linijos, už mano peties pasigirdo silpnas automobilio garso signalas. Priekinio stiklo dūženų srovelės blyksėjo saulės šviesoje it Morzės abėcėle mirksinčios lemputės.

Iš mano penio trykštelėjo sėkla. Aš nesuvaldžiau automobilio ir jo priekinis ratas trenkėsi į skiriamosios juostos kraštą, į priekinį stiklą sviesdamas dulkių ir cigarečių pakelių sūkurį. Automobilis nukrypo nuo greitojo eismo juostos ir metėsi link oro uosto autobuso, išsukančio iš žiedinės sankryžos. Sėklai dar sunkiantis iš penio, aš pasukau automobilį paskui autobusą. Išblėso paskutinis šio mažo orgazmo sukeltas virpulys.

Ant savo rankos pajutau Helenos Remington delną. Ji pasislinko į sėdynės vidurį, stipriu petimi prisispaudė prie mano peties, jos delnas gulėjo ant mano delno, sugniaužusio vairą. Ji žvelgė į mus apvažiuojančius automobilius, gaudė garso signalai.

– Išsukite čia, kurį laiką galėsite ramiai važiuoti.

Aš pasukau automobilį į šoninį kelią, vedantį į privačių namų pristatytus tuščius cementinius bulvarus. Gal valandą mes važiavome tuščiomis gatvėmis. Prie namų vartų stovėjo vaikų palikti dviračiai ir spalvingi vežimėliai. Helena Remington laikė mane už peties, jos akys slėpėsi už tamsių akinių stiklų. Ji man pasakojo apie savo darbą oro uosto imigracijos departamente ir apie sunkumus, patirtus tvirtinant jos vyro testamentą. Ar ji suvokė, kas vyko šiame automobilyje, važiuojančiame maršrutu, kurį aš repetavau su tiek įvairių transporto priemonių, ar suprato, kad jos vyro mirtimi aš atšvenčiau mūsų žaizdų ir mano orgazmo vienybę?

8

Eismas vis stiprėjo, betoninės juostos įstrižai margino kraštovaizdį. Mums su Katrina grįžtant iš susitikimo su koroneriu, kelių lygmenų sankryžos kilo viena virš kitos lyg besiporuojantys milžinai, savo didžiulėmis kojomis apžergę vienas kito nugaras. Be jokių ceremonijų ar susidomėjimo buvo paskelbta mirtis nelaimingo atsitikimo metu; policija neiškėlė man kaltinimų dėl žmogžudystės ar neatsargaus vairavimo. Po apklausos leidau Katrinai nuvežti mane į oro uostą. Pusvalandį sėdėjau prie lango jos biure, žvelgdamas žemyn į šimtus automobilių stovėjimo aikštelėje. Jų stogai susiliejo į metalinį ežerą. Katrinos sekretorė stovėjo jai už nugaros, laukdama, kol aš išeisiu. Kai ji padavė Katrinai akinius, pamačiau, kad ji pasidažė lūpas baltu lūpdažiu; galbūt tai buvo jos ironiška duoklė šiai mirties dienai.

Katrina palydėjo mane į fojė:

– Džeimsai, tau reikia grįžti į biurą. Patikėk, mielasis, aš tiesiog tavimi rūpinuosi.

Smalsiu judesiu ji prisilietė prie mano dešiniojo peties, tarsi ieškodama ten pražydusios naujos žaizdos. Apklausos metu ji kažkaip keistai laikė suspaudusi mano alkūnę, tarsi bijodama, kad skersvėjis išpūs mane pro langą.

Nenorėdamas derėtis su šiurkščiais pasipūtusiais taksistais, susirūpinusiais tik tuo, kaip nulupti Londono kainą, aš perėjau automobilių aikštelę priešais krovininių skrydžių pastatą. Viršuje metalu griaudėjo didžiulis keleivinis lėktuvas. Jam praskridus, aš pakėliau galvą ir pastebėjau daktarę Heleną Remington, už šimto jardų nuo manęs laviruojančią tarp automobilių.

Apklausos metu negalėjau atitraukti akių nuo rando jos veide. Aš žvelgiau, kaip ji ramiai eina pro išsirikiavusius automobilius imigracijos departamento link. Ji ėjo, žvaliai aukštyn pakėlusi tvirtą smakrą, pabrėžtinai nusukusi nuo manęs veidą, lyg norėdama ištrinti bet kokius mano egzistavimo pėdsakus. Tuo pat metu man kilo įspūdis, kad ji yra visiškai sutrikusi.

Praėjus savaitei po apklausos, aš važiavau iš Katrinos biuro, o ji laukė taksi šalia Okeano stoties. Šūktelėjau jai ir sustojau už oro uosto autobuso, kviesdamas sėstis į automobilį. Mojuodama ant tvirto riešo kabančia rankine, ji priėjo prie automobilio ir, atpažinusi mane, susiraukė.

Mums važiuojant Vakarų prospektu, ji atvirai susidomėjusi stebėjo eismą. Plaukus buvo susišukavusi atgal, neslėpdama blyškaus rando rėžio.

– Kur jus nuvežti?

– Ar mes galėtume truputį pasivažinėti? – paklausė ji. – Visas tas eismas... Man patinka jį stebėti.

Ar ji bandė mane pašiepti? Spėjau, kad savo tiesmukišku mąstymu ji jau spėjo įvertinti galimybes, kurias aš jai atvėriau. Iš betonuotų automobilių aikštelių ir nuo daugiaaukščių garažų stogų ji savo blaiviu nesentimentaliu žvilgsniu jau tyrė technologijų pasaulį, tapusį jos vyro mirties priežastimi.

Ji ėmė čiauškėti su apsimestiniu gyvumu:

– Vakar išsikviečiau taksi valandai pasivažinėti. „Bet kur“, – pasakiau. Mes įstrigome didžiuliame kamštyje šalia tunelio. Nemanau, kad nuvažiavome daugiau nei penkiasdešimt jardų. O jis visiškai nesuirzo.

Mes važiavome Vakarų prospektu, kairėje slinko tarnybiniai pastatai ir oro uosto tvora. Aš laikiausi lėtojo eismo juostoje, sankryžos tiltas lėtai tolo galinio vaizdo veidrodėlyje. Helena pasakojo apie naują gyvenimą, kurį planavo susikurti.

– Kelių tyrimo laboratorijai reikia naujo medicinos darbuotojo. Alga didesnė, taigi, reikia pagalvoti. Materialistinis požiūris turi ir tam tikrų moralinių dorybių.

– Kelių tyrimo laboratorija... – nutęsiau aš. Dokumentiniuose televizijos filmuose nuolat rodė juostas su dirbtinėmis autoavarijomis; tie suniokoti mechanizmai buvo apgaubti keisto tragizmo. – Ar tai ne per artima?..

– Tas ir yra. Be to, dabar aš galiu suteikti tai, apie ką anksčiau nė iš tolo nenutuokiau. Tai net ne prievolė, o įsipareigojimas.

71

Po penkiolikos minučių, mums grįžtant prie viaduko, ji jau buvo pasislinkusi prie manęs ir tylėdama stebėjo, kaip mano rankos judina valdymo svirtis ir mes sukame susidūrimo vietos link.

Tas pats ramus, tačiau smalsus žvilgsnis, tarsi ji būtų vis dar neapsisprendusi, kuo aš galėčiau būti jai naudingas, slystelėjo mano veidu, kai sustabdžiau automobilį tuščiame tarnybiniame kelyje tarp rezervuarų į vakarus nuo oro uosto. Kai apkabinau ją per pečius, ji šyptelėjo sau, nervingu viršutinės lūpos krustelėjimu apnuogindama auksine karūnėle apmautą dešinįjį iltinį dantį. Savo lūpomis paliečiau jos lūpas, nubruoždamas vaškinį pastelinio lūpdažio šarvą, žvelgdamas, kaip jos ranka siekia chromuoto langelio rėmo. Prispaudžiau savo lūpas prie apnuoginto, švaraus jos viršutinių dantų emalio, mane užbūrė glotniu metaliniu langelio rėmo paviršiumi judantys jos pirštai. Rėmo priekinis kraštas buvo pažymėtas melsva dažų drūže, palikta kokio nors neatidaus konvejerio darbuotojo. Smiliaus nagu ji krapštė šią juostelę, įstrižai kylančią nuo palangės tuo pačiu kampu, kaip ir betoninė drėkinimo griovio, esančio už dešimties pėdų nuo automobilio, briauna. Mano akyse šis paralaksas susiliejo su vaizdu apleisto automobilio, gulinčio ant rūdžių dėmėmis nusėtos rezervuaro pylimo žolės. Trumpalaikiame tirpstančio talko debesėlyje, užtemdžiusiame jos akis, kai aš lūpomis paliečiau vokus, tilpo visa šios apleistos griuvenos, varvančios mašinine alyva ir aušinimo skysčiu, melancholija.

Už šešių šimtų jardų nuo mūsų ant kylančio greitkelio plokštumos sustingo eismo srautas, popiečio saulės spinduliai vėrė autobusų ir automobilių langus. Mano ranka judėjo gaubtu Helenos šlaunų paviršiumi, pajuto atsegtą jos suknelės užtrauktuką. Kai šie skustuvo aštrumo dantukai brūkštelėjo per mano krumplius, pajutau, kaip mano ausį sukando Helenos dantys. Veriantis skausmas man priminė priekinio stiklo duženų įkandimą avarijos metu. Ji praskėtė kojas, ir aš ėmiau glostyti nailoninį jos gaktą dengiantį tinklelį, žavų šios rimtai nusiteikusios gydytojos strėnų šydą. Žvelgdamas į jos veidą, nekantrią žiopčiojančią burną, tarsi bandančią praryti save, aš ranka glosčiau jos krūtis. Dabar ji kalbėjo pati su savimi, murmėjo, lyg pamišusi avarijos auka. Ji išlaisvino iš liemenėlės kairiąją krūtį, prispaudė mano pirštus prie įkaitusio spenelio. Aš pabučiavau abi krūtis iš eilės, dantimis brūkšteldamas per standžius spenelius.

Apsivijusi mane savo kūnu šioje stiklo, metalo ir vinilo pavėsinėje, Helena įkišo ranką man po marškiniais, bandydama užčiuopti spenelius. Aš suėmiau jos pirštus ir uždėjau sau ant penio. Galiniame veidrodėlyje mačiau artėjantį sunkvežimį su vandens vamzdžiais. Jis prariaumojo pro šalį dulkių ir išmetamųjų dujų sukūryje, subarbenusiame į mano automobilio dureles. Ši susijaudinimo banga išstūmė į mano penį pirmuosius sėklos lašus. Po dešimties minučių, sunkvežimiui grįžtant, virpantys langai sukėlė man orgazmą. Helena klūpėjo virš manęs, įspaudusi alkūnes į automobilio sėdynę abipus mano veido. Aš gulėjau ant nugaros, jusdamas karštą, kvepiantį vinilą. Iki juosmens užplėšęs sijoną, pamačiau jos klubų apvalumus. Lėtai ją prisitraukiau, savo kotu spausdamas jos klitorį. Jos kūno dalys – kvadratinės kelių girnelės po mano alkūnėmis, dešinioji krūtis, iškelta iš liemenėlės, maža žaizdelė, žyminti apatinį spenelio išlinkimą, – buvo įrėmintos automobilio salono. Spausdamas penio galvutę prie jos gimdos kaklelio, ant kurio pajutau bedvasę mašiną, – gaubtuką nėštumui išvengti, – aš apsidairiau salone. Ši ankšta erdvė buvo užgriozdinta kampuotais prietaisų paviršiais ir apvaliomis žmogaus kūno dalimis, kurios jungėsi tokiais keistais dariniais, it tai būtų pirmasis homoseksualus aktas „Apolono" kapsulėje. Masyvios Helenos šlaunys, prispaustos prie mano šlaunų, jos kairysis kumštis, įbestas man į petį, burna, apžiojusi manąją, drėgna išangė, glostoma mano bevardžio piršto, maišėsi su įvairiomis technikos detalėmis – lietais prietaisų skalių gaubtais, kyšančiu vairo kolonėlės šarvu, ekstravagantiška, pistoletą primenančia rankinio stabdžio rankena. Aš paliečiau šiltą sėdynės vinilą, o tada paglosčiau drėgną Helenos tarpvietės plotelį. Ji uždėjo ranką ant mano dešinės sėklidės. Mane supantis šlapio antracito spalvos laminatas buvo tokio paties atspalvio, kaip ir ties makšties prieangiu praskirti plaukai. Keleivių skyrius apgobė mus tarsi mašina, mūsų lytinio akto metu iš kraujo, spermos ir aušinimo skysčio kurianti homunkulą. Mano pirštas įslydo į Helenos tiesiąją žarną, pajuto jos vaginoje esantį mano penį. Šios liaunos membranos, kaip ir jos gleivėta nosies pertvara, kurią aš liečiau savo liežuviu, atsispindėjo stikliniuose prietaisų skydelio ciferblatuose, nepažeistame priekinio stiklo vingyje.

Ji suleido dantis man į petį, ištryškęs kraujas paliko marškiniuose burnos atspaudą. Nė negalvodamas trenkiau jai delnu per pakaušį.

– Atleisk! – ji iškvėpė man į veidą. – Nejudėk, prašau!

Ji vėl įtaikė mano penį į vaginą. Abiem rankomis gniauždamas jos sėdmenis, aš veržliai judėjau orgazmo link. Virš manęs iškilęs Helenos Remington veidas buvo toks rimtas, lyg ji bandytų gaivinti pacientą. Drėgna blizganti oda aplink jos burną priminė rasa iš ryto pražydusį priekinį stiklą. Ji greitai judino sėdmenis, spausdama savo gaktos kaulus prie manųjų, o tada atsilošė į prietaisų skydelį. Pro šalį pradundėjo lendroveris, jo sukeltos dulkės sūkuriavo aplink langus.

Ji pakilo nuo jau išsekusio mano penio ir leido sėklai nutekėti man į tarpvietę; tada atsisėdo prie vairo, rankoje laikydama drėgną galvutę. Ji apžvelgė saloną, tarsi svarstydama, kam dar pritaikyti mūsų lytinį aktą. Popiečio saulės nušviestas blykštantis randas ant jos veido žymėjo šias slaptas mintis lyg slaptą aneksuotos teritorijos sieną. Manydamas, kad suteiksiu jai keletą malonių minučių, aš apnuoginau jos kairę krūtį ir ėmiau ją glamonėti. Džiaugsmingai sujaudintas pažįstamos geometrijos, aš pažvelgiau į deimantais spindintį prietaisų skydelio grotą, styrantį vairo mechanizmo dangalą ir chromuotas jungiklių galvutes.

Ant už mūsų esančio tarnybinio kelio pasirodė policijos automobilis, jo baltas korpusas sunkiai ropštėsi per duobes ir griovelius. Helena atsisėdo ir mikliu rankos judesiu paslėpė savo dešinę krūtį. Ji greitai apsirengė ir žvelgdama į pudrinės veidrodėlį ėmė taisyti makiažą. Ji pažabojo savo godų seksualumą taip pat staiga, kaip ir atskleidė.

Vis dėlto Helena neteikė ypatingos reikšmės šiems neįprastiems veiksmams, mūsų lytiniams aktams, atliekamiems ankštame salone mano automobilio, kurį aš statydavau įvairiuose apleistuose aptarnavimo privažiavimuose, akligatviuose ir vidurnakčio stovėjimo aikštelėse. Kai vėliau paimdavau ją iš namų, kuriuos ji nuomojo Northolte, arba laukdavau jos laukiamajame šalia imigracijos biurų, man atrodė neįtikėtina, kad egzistuoja kažkoks seksualinis ryšys tarp manęs ir šios jautrios baltu chalatu apsigobusios gydytojos, atlaidžiai klausančios kokio nors tuberkulioze sergančio pakistaniečio pasiteisinimų.

Keista, bet mūsų seksualiniai santykiai klostėsi tik mano automobilyje. Erdviame jos nuomojamų namų miegamajame aš nesugebėdavau patirti net erekcijos, o Helena tapdavo vaidinga ir atšiauri, nuolat kalbėdavo apie pačius nuobodžiausius savo darbo dalykus. Tačiau atsidūrę mano automobilyje, perpildytose greitkelio juostose, kuriomis mes judėdavome tapdami nematančia ir nematoma publika, mes vėl sugebėdavome vienas kitą sujaudinti. Kiekvieną kartą ji atskleisdavo augantį švelnumą man ir mano kūnui, netgi bandydavo sumažinti mano nerimą dėl jos. Savo lytiniais aktais mes atkurdavome jos vyro mirtį, pasėdami jos vaginoje jo kūno vaizdinį, įkūnytą šimtuose mūsų burnų ir šlaunų, spenelių ir liežuvių rakursų, esančių viniliniame ir metaliniame automobilio salone.

Aš laukiau, kol Katrina atskleis mano dažnus susitikimus su šia vieniša gydytoja, tačiau, mano nuostabai, jos susidomėjimas Helena Remington apsiribojo tik smalsumu. Katrina nutarė vėl paaukoti save santuokai. Prieš avariją mūsų lytiniai santykiai buvo visiškai abstraktūs, palaikomi įsivaizduojamų žaidimų ir iškrypimų. Rytais išlipusi iš lovos, ji primindavo efektyvų savitarnos mechanizmą: automatiškai palįsdavo po dušu, naktinis šlapimas būdavo išskiriamas į unitazą, gaubtukas būdavo ištraukiamas, sutepamas ir vėl įkišamas (kaip ir kada ji mylėdavosi per pietų pertraukas, ir su kuriais pilotais ar oro linijų darbuotojais?); kol ji virdavo kavą, įsijungdavo žinias...

Visa tai dabar liko praeityje, buvo pakeista nedideliu, bet vis augančiu švelnių ir meilių gestų repertuaru. Kai ji gulėdavo šalia manęs, noriai vėluodama į darbą, aš galėjau patirti orgazmą vien įsivaizduodamas automobilį, kuriame mes mylimės su daktare Helena Remington.

9

Ši maloni namų idilė, kupina žavaus paleistuvavimo, baigėsi, kai vėl pasirodė Robertas Voenas, košmariškasis greitkelių angelas. Katrina buvo išvykusi trims dienoms, dalyvavo oro linijų konferencijoje Paryžiuje, todėl aš iš smalsumo pasiėmiau Heleną į Northolte vykusias standartinių automobilių lenktynes. Keletas vairuotojų kaskadininkų, kurie Šepertono studijoje filmavosi juostoje su Elizabete Teilor, demonstravo „pragarišką vairavimą". Neišpirkti bilietai pasklido po studiją ir mūsų biurus. Renata, nors ir nepritardama mano meilės romanui su užmušto vyriškio našle, davė man porą bilietų – tikriausiai jos gestas buvo ironiškas.

Mes su Helena sėdėjome pustuštėse tribūnose, stebėdami, kaip šlaku padengtu taku ratus suka pusiau išmontuoti automobiliai.

Susėdusi aplink specialiai paruoštą futbolo aikštę, nuobodžiavo minia. Pranešėjo balsas griaudėjo virš mūsų galvų. Kiekvieno pasirodymo pabaigoje pasigirsdavo neryžtingi drąsinantys vairuotojų žmonų šūksniai.

Helena sėdėjo prisiglaudusi prie manęs, apkabinusi per liemenį, jos veidas lietė mano petį. Skruostai buvo pabalę nuo nesiliaujančio sugadintų duslintuvų riaumojimo.

– Keista... Aš maniau, kad susirinks daugiau žiūrovų.

– Tikras reginys bus nemokamas, – aš parodžiau į gelsvą programėlės lapelį. – Ir tikrai daug įdomesnis: „Įspūdingos autokatastrofos atkūrimas".

Taką išvalė ir, atkurdami sankryžos kontūrus, sustatė baltus stulpelius. Priešais mus, apačioje, prie durelių neturinčio automobilio sėdynės diržais segė didžiulį, alyva išsitepusį žmogų, apsivilkusį sidabriniais blizgučiais išmarginta striuke. Jo šviesiai dažyti pečius siekiantys plaukai buvo surišti ryškia raudona juosta. Atšiaurus veidas mirtinai išblyškęs ir alkanas, it bedarbio cirkininko. Atpažinau jame vieną iš studijos kaskadininkų, buvusį lenktynininką Sygreivą.

Atkuriant avariją turėjo dalyvauti penki automobiliai – tai buvo daugkartinis susidūrimas Šiauriniame aplinkkelyje praeitą vasarą, kai žuvo septyni žmonės. Kol automobiliai stojosi į savo pradines pozicijas, pranešėjas ėmė žadinti publikos susidomėjimą. Aidūs jo komentarų fragmentai atsimušdavo į tuščias tribūnas, lyg bandydami pabėgti.

Aš parodžiau į aukštą fotografą su kareiviška striuke, kuris sukinėjosi aplink Sygreivo automobilį, per variklio keliamą triukšmą šaukdamas jam instrukcijas pro nesamą priekinį stiklą.

– Vėl Voenas. Jis kalbėjosi su tavimi ligoninėje.

– Jis fotografas?

– Ypatingas.

– Aš maniau, kad jis užsiima avarijų tyrimais. Jis klausinėjo net apie smulkiausias avarijos detales.

Šiame stadione Voenas, rodos, atliko kino režisieriaus vaidmenį, tarsi Sygreivas būtų jo žvaigždė, nežinomas aktorius, turėsiantis sukurti jam reputaciją. Pasilenkęs prie automobilio lango, Voenas agresyviais gestais braižė kažkokią naują smurto ir susidūrimų choreografiją. Sygreivas sudribo sėdynėje, traukdamas atsainiai susuktą hašišo suktinę, kurią, tikrindamas saugos diržus ir vairo kolonėlės kampą, atiduodavo palaikyti Voenui. Jo šviesiai dažyti plaukai patraukė viso stadiono dėmesį. Iš pranešėjo mes sužinojome, kad Sygreivas vairuos automobilį taikinį: slystantis sunkvežimis turės išstumti jį priešais keturis atvažiuojančius automobilius.

Voenas akimirkai paliko Sygreivą ir nubėgo į pranešėjo būdelę, esančią už mūsų. Stojo trumpa tyla, o vėliau triumfuojančiu tonu mums buvo pranešta, kad prie sunkvežimio vairo Sygreivas paprašė sėstis savo geriausią draugą. Šis paskutinis dramatiškas papildymas minios, atrodo, nesujaudino, tačiau Voenas liko patenkintas. Jam leidžiantis praėjimu žemyn, plonose randuotose lūpose švietė kvailoka šypsena. Pamatęs mane ir Heleną Remington, jis džiugiai pamojavo, lyg mes būtume ištikimi šių liguistų reginių aistruoliai.

Po dvidešimties minučių aš sėdėjau savo automobilyje už Voeno linkolno, o Sygreivą su smegenų sutrenkimu vedė per stovėjimo aikštelę. Avarijos atkūrimas sužlugo – po sunkvežimio smūgio Sygreivo automobilis pasimovė ant sunkvežimio buferio it trumparegis toreodoras ant buliaus ragų. Sunkvežimis nutempė jį apie penkiasdešimt jardų ir rėžėsi į vieną iš priešais atvažiuojančių sedanų. Žiaurus, nevaldomas susidūrimas privertė pašokti ant kojų visą minią, ir mane su Helena.

Vienintelis Voenas nesujudėjo. Kol pritrenkti vairuotojai ropštėsi iš savo automobilių ir traukė iš už vairo Sygreivą, Voenas greitai perėjo areną ir įsakmiai mostelėjo Helenai. Aš nusekiau jai iš paskos, tačiau Voenas nekreipė į mane dėmesio, vesdamas Heleną per mechanikų ir žioplių minią.

Sygreivas šluostėsi tepaluotus delnus į sidabrines kombinezono kelnes ir aklai graibstė rankomis orą priešais save. Nors jis ir galėjo paeiti, Voenas įtikino Heleną palydėti juos iki Northolto ligoninės. Vos mums pajudėjus, pajutau, kad kažkokia jėga verčia mane sekti paskui Voeno automobilį – dulkėtą linkolną su gale įtaisytu prožektoriumi. Vos tik Sygreivas susmuko galinėje sėdynėje šalia Helenos, Voenas šovė per atslenkančią prieblandą, iškišęs ranką pro langą ir delnu plekšnodamas stogą. Aš spėjau, kad taip jis bando patikrinti, ar sugebės manimi atsikratyti, – prie šviesoforų jis stebėdavo mane galinio vaizdo veidrodėlyje, o tada, užsidegus geltonai, šaudavo į priekį. Ant Northolto tilto jis lėkė gerokai viršydamas greitį, lyg niekur nieko ne iš tos pusės aplenkdamas policijos automobilį. Vairuotojas mirktelėjo žibintais, tačiau nusiramino, pamatęs raudoną, panašią į kraujo dėmę juostą Sygreivo plaukuose ir mane, nekantriai mirksintį šviesomis.

Mes pervažiavome tiltą ir betoniniu keliu nušvilpėme per Vakarų Northoltą – gyvenamąjį oro uosto rajoną. Mažuose sodeliuose, atskirtuose vielinėmis tvoromis, stovėjo vienaaukščiai namukai. Šioje vietovėje gyveno jaunesnysis oro uosto personalas: automobilių aikštelių prižiūrėtojai, padavėjos ir buvusios stiuardesės. Dauguma jų, dirbdami pamainomis, po pietų bei vakarais miegodavo, todėl mums važiuojant tuščiomis gatvėmis užuolaidos namuose buvo užtrauktos.

Įsukome į ligoninės teritoriją. Nekreipdamas dėmesio į lankytojams skirtą aikštelę, Voenas pravažiavo įėjimą į traumatologijos skyrių ir sustojo aikštelėje, skirtoje gydytojams konsultantams. Jis iššoko iš automobilio ir mostelėjo Helenai. Glotnindamas savo šviesius plaukus, Sygreivas nenoriai išsirangė iš galinės sėdynės. Vis dar neatgavęs pusiausvyros, savo didžiuliu kūnu jis atsirėmė į dureles. Žvelgdamas į jo klaidžiojančias akis ir nubrozdintą galvą aš nusprendžiau, kad tai tik dar vienas iš daugelio jo patirtų smegenų sutrenkimų. Kol Voenas prilaikė jo galvą, jis paspjaudė ant savo alyva išteptų delnų, įsikibo jam į ranką ir svyrinėdamas patraukė paskui Heleną traumatologijos skyriaus link.

Mes laukėme, kol jie grįš. Voenas sėdėjo tamsoje ant savo automobilio gaubto, šlaunimi uždengdamas vieno žibinto šviesą. Staiga jis nekantriai atsistojo ir ėmė slankioti aplink automobilį pakėlęs galvą taip, kad jo nesiektų vakarinių ligoninės lankytojų žvilgsniai. Žvelgdamas į jį iš savo automobilio, pastatyto greta, aš pastebėjau, kad netgi dabar Voenas vaidina šiems anonimiškiems praeiviams, visąlaik likdamas žibintų šviesoje, lyg laukdamas, kol pasirodys filmavimo kameros ir atsisuks į jį. Visi jo impulsyvūs judesiai akivaizdžiai išdavė nevykusį aktorių, o tai mane erzino ir veikė atstumiančiai. Spyruokliuodamas savo nutrintais teniso bateliais, jis pasuko prie bagažinės ir ją atidarė.

Erzinamas jo žibintų šviesos, atsispindinčios nuo stiklinių fizioterapijos skyriaus durų, aš išlipau iš automobilio ir stebėjau, kaip Voenas rausiasi tarp kamerų ir blyksčių. Išsirinkęs kino kamerą su pistoletine rankena, jis užtrenkė bagažinę ir atsisėdo prie vairo, viena koja efektingai atsirėmęs į juodą asfaltą.

Jis atidarė keleivio dureles:

– Ateikite, Balardai, jie ten prabus ilgiau, nei mergaitė Remington įsivaizduoja.

Aš atsisėdau šalia jo priekinėje linkolno sėdynėje. Jis žvelgė pro kameros objektyvą, stebėdamas traumatologijos skyriaus įėjimą. Purve ant grindų gulėjo pluoštas sudaužytų automobilių nuotraukų. Kalbant apie Voeno laikyseną, labiausiai mane trikdė jo šlaunų ir klubų padėtis, tarsi jis būtų stengęsis įsprausti savo lytinius organus į automobilio prietaisų skydelį. Aš stebėjau, kaip žvelgiant į kamerą susiglaudžia jo šlaunys ir susispaudžia sėdmenys. Ūmai man kilo pagunda sugriebti jo penio galvutę ir nukreipti į švytinčias skales. Aš įsivaizdavau, kaip stipri Voeno koja iki galo spaudžia akceleratorių. Jo sėklos tiškalai uždengs aiškias greičio matuoklio padalas, kol rodyklė kils kartu su mumis, švilpiančiais vingiuotu asfaltu.

Man buvo lemta pažinoti Voeną nuo to vakaro iki jį po metų ištiksiančios mirties, ir visas mūsų santykių pobūdis buvo nulemtas, kol mes automobilių aikštelėje laukėme Sygreivo ir Helenos Remington. Sėdėdamas šalia, jaučiau, kaip mano priešiškumą keičia tam tikra pagarba ir netgi galbūt pataikūniškumas. Tai, kaip Voenas vairavo automobilį, lemdavo visą jo elgesį – pakaitomis agresyvų, išsiblaškiusį, jautrų, netašytą, atsainų ir brutalų. Antroji pavara jo linkolne neveikė. Vėliau Voenas paaiškino, kad ji buvo išplėsta per lenktynes su Sygreivu. Kartais mes strigdavome automobilyje Vakariniame aveniu, sulaikydami eismą didesnio greičio juostoje, nes vilkdavomės dešimties mylių per valandą greičiu, laukdami, kol sulaužyta pavarų dėžė leis mums padidinti greitį. Voenas kartais elgdavosi kaip paralitikas: bukai sukiodavo vairą, lyg tikėdamasis, kad šis automobilis turi neįgaliajam pritaikytą valdymą, jo kojos bejėgiškai kabodavo abipus sėdynės, kol mes didindami greitį artėdavome prie taksi, stovinčio priešais šviesoforą, galo. Paskutinę akimirką jis trūkteldamas sustabdydavo automobilį, tarsi tyčiodamasis iš savo, kaip vairuotojo, vaidmens.

Jo elgesys su visomis pažįstamomis moterimis taip pat paklusdavo toms pačioms beprotiškų žaidimų taisyklėms. Su Helena Remington jis paprastai kalbėdavo atsainiai ir ironiškai, tačiau kartais tapdavo mandagus ir pagarbus, amžinai išsipasakodamas man oro uosto viešbučių tualetuose, klausinėdamas, ar Helena rūpinsis Sygreivo žmona ir mažu vaiku ir galbūt net juo pačiu. Vėliau, kai jo dėmesys nukrypdavo kitur, jis visiškai nebevertindavo jos darbo ir mediko sugebėjimų. Netgi tarp jų užsimezgus meilės ryšiui, Voeno nuotaikos nuolat keitėsi nuo prieraišumo iki ilgų nuobodžio laikotarpių. Jis sėdėdavo prie automobilio vairo ir žiūrėdavo, kaip ji žingsniuoja iš imigracijos departamento, šaltu žvilgsniu vertindamas galimas žaizdų vietas jos kūne.

Voenas atrėmė kino kamerą į vairo kraštą, išskėtęs kojas atsilošė atgal, ranka pasitaisydamas sėklides. Jo rankų ir krūtinės baltuma, randai, išmarginę odą taip pat kaip ir manąją, suteikė kūnui liguistą metališką blizgesį – lyg nusitrynusio automobilio salono plastiko. Tos akivaizdžiai beprasmės įrantos jo odoje, tarsi įkirstos kaltu, buvo kūno dantiraštis, suformuotas į šipulius dūžtančių prietaisų stiklo, skilusios pavarų dėžės rankenos ir gabaritinių žibintų jungiklių; jos demonstravo veriantį gniūžtančio automobilio salono apkabinimą. Visa tai byloja tikslia skausmo ir jausmingumo, erotikos ir aistros kalba. Atspindėta Voeno automobilio žibintų šviesa iš tamsos išplėšė penkių randų pusapskritimį, supantį dešinį Voeno spenelį – metmenis rankai, panorusiai prisiliesti prie jo krūtinės.

Traumatologijos skyriaus tualete mes stovėjome prie gretimų pisuarų. Aš žvilgtelėjau į Voeno penį, smalsaudamas, ar jis taip pat randuotas. Galvutė, suspausta tarp jo smiliaus ir didžiojo piršto, buvo padalinta gilaus rėžio, lyg tai būtų vagelė sėklai ar vaginos gleivėms nutekėti. Kuri dūžtančio automobilio dalis pabučiavo šį penį, kokiose jo patiriamo orgazmo ir chromuotos instrumento rankenėlės vestuvėse?

Gąsdinantis šio rando sukeltas susijaudinimas užliejo mano mintis, kol tarp besiskirstančių ligoninės pacientų ėjau paskui Voeną automobilio link. Jo lengvas šoninis nuokrypis, primenantis linkolno priekinio stiklo nuolydį, išreiškė visą netiesioginę, bet atkaklią Voeno kelionę atviromis mano sąmonės erdvėmis.

10

Virš mūsų galvos palei greitkelio kraštą sustingusio eismo šviesos nušvietė dangų it horizonte pakabinti žibintai. Už keturių šimtų jardų į kairę, tempiamas savo nervingų variklių, į tamsų orą pakilo lėktuvas. Neprižiūrėtoje žolėje už tvoros styrojo ilgos metalinių stulpų eilės. Nusileidimo šviesų juostos susiliejo į švytinčius laukus, primenančius apšviestus miesto kvartalus. Važiavau paskui Voeną tuščiu šalutiniu keliu. Mes judėjome statybų zona, nusidriekusia palei pietinius oro uosto pakraščius, pravažiavome neapšviestą triaukščių oro uosto personalo namų rajoną, pusiau pastatytus viešbučius ir degalines, tuščią prekybos centrą, paskendusį purve. Voeno automobilio apšviestos abipus kelio blizgėjo statybinių šiukšlių kopos.

Tolumoje pasirodė gatvės žibintų vora, žyminti šios tranzitinės ir poilsiui skirtos teritorijos ribą. Iš karto už jos, ties vakariniais privažiavimais į Stenvelą plytėjo automobilių sąvartynų, mažų automobilių mechanikų dirbtuvių ir atsarginių detalių krautuvėlių sritis. Mes pravažiavome dviaukštę priekabą, prikrautą sudaužytų automobilių. Nuo galinės Voeno automobilio sėdynės kilstelėjo Sygreivas, kažkoks tik jam suvokiamas dirgiklis sujudino jo išsekusias smegenis. Kol važiavome iš ligoninės, jis tysojo pusiaugulom, atsirėmęs į galinį langą, jo šviesiai dažyti plaukai mano lempų šviesoje spindėjo it nailoninis audinys. Šalia, retkarčiais atsigręždama į mane, sėdėjo Helena Remington. Tai ji, nepasitikėdama Voeno motyvais, užsispyrė, kad mes palydėtume Sygreivą namo.

Įsukome į kiemą priešais Sygreivo garažą ir paruoštų parduoti automobilių aikštelę. Jo verslas kadaise matė ir geresnių dienų – tais klestėjimo laikais, kai jis buvo lenktynininkas, važinėjantis perdirbtais ir forsuotais automobiliais. Už neplauto stiklo stovėjo plastikinė 1930 metų „Brooklands" kopija, ant jos galinės sėdynės buvo suverstos išblukusios vėliavos.

Laukdamas, kol išvyksime, stebėjau, kaip Helena Remington ir Voenas veda Sygreivą į vidų. Kaskadininkas miglotomis akimis spoksojo į pigius dermantininius baldus, kurį laiką nesugebėdamas atpažinti savo namų. Jis prigulė ant sofos, kol jo žmona ginčijosi su Helena, tarsi ji, gydytoja, būtų atsakinga už savo paciento simptomus. Vera Sygreiv kažkodėl atleido Voeną nuo bet kokios atsakomybės, nors – kaip aš supratau vėliau, o ji jau tikriausiai žinojo, – jis akivaizdžiai išnaudojo jos vyrą savo eksperimentams. Ši graži, nenustygstanti trisdešimtmetė moteris nešiojo afrikietišką šukuoseną. Tarp jos kojų, spoksodamas į mus, stovėjo vaikas, savo nenuovokiais pirštukais čiuopdamas du ilgus randus ant motinos šlaunų, vos pridengtus mini sijonėliu.

Atsainiai apkabinęs Heleną Remington tardančios Veros Sygreiv liemenį, Voenas žengė ant sofos sėdinčios trijulės link. Vyras, TV režisierius, anksčiau kūręs pirmąsias Voeno programas, drąsinamai linkčiojo, kol Voenas pasakojo apie Sygreivo avariją, tačiau buvo pernelyg apsirūkęs hašišo – saldokas dūmelis sklaidėsi kambaryje, – kad sugebėtų susikaupti ties Voeno siūlymu padaryti iš to laidą. Šalia jo aštrių veido bruožų moteris ant sofos suko dar vieną suktinę; kol ji sidabrinės folijos nuoplaišoje minkė mažą gumulėlį, Voenas iš kelnių kišenės išsitraukė bronzinį žiebtuvėlį. Ji pakaitino gumulėlį ir sukrėtė viską į išvyniotą cigarečių popierių, laukiantį ant kelių gulinčioje sukimo mašinėlėje. Ji buvo socialinė darbuotoja, dirbanti Stenvelo vaikų rūpybos skyriuje, ir sena Veros Sygreiv draugė.

Ant jos kojų buvo matyti randai, panašūs į tuos, kuriuos palieka dujinė gangrena, o ant kelių girnelių baltavo apvalūs įspaudai. Ji pastebėjo mane spoksant į randus, tačiau nė nebandė jų paslėpti. Šalia jos į sofą buvo atremta chromuota lazda. Jai sujudėjus, pastebėjau, kad abi jos kojų keltys buvo įspraustos į plieninius chirurginius įtvarus. Iš pernelyg nelanksčios jos liemens padėties įtariau, kad ji vilki ir kažkokį palaikomąjį korsetą. Ji susuko cigaretę, žvelgdama į mane su neslepiamu įtarumu. Spėjau, kad šį priešiškumo protrūkį paskatino jos prielaida, kad aš, skirtingai nei Voenas, ji ar Sygreivas, niekuomet nebuvau sužeistas avarijoje.

Helena Remington palietė mano ranką.

– Sygreivui, – ji parodė į nerangiai judantį kaskadininką, kuris jau buvo atsigavęs ir žaidė su savo sūneliu, – rytoj studijoje teks atlikti triukus. Ar gali jį atkalbėti?

– Paklausk jo žmonos. Arba Voeno. Man atrodo, kad čia visi šoka pagal jo dūdelę.

– Manau, kad neverta.

Pasigirdo televizijos prodiuserio balsas:

– Sygreivas dabar atlieka triukus už visas aktores. Viskuo kalti jo gražūs šviesūs plaukai. O ką tu darai tamsiaplaukėms, Sygreivai?

Sygreivas sprigtelėjo mažytį savo sūnaus penį.

– Pavarau per šikną. Iš pradžių padarau mažą žvakutę iš hašišo, o vėliau įgrūdu ją ten, kur priklauso. Du malonumai už vieno kainą, – jis mąsliai žvelgė į savo tepaluotas rankas. – Norėčiau kada nors susodinti jas į visus tuos automobilius, kuriuos vairuoti tenka mums. Ką tu apie tai manai, Voenai?

– Vieną dieną taip ir atsitiks, – Voeno balse pasigirdo netikėta pagarbos gaidelė. – Mes taip ir padarysim.

– Ir prisegsime jas tais sumautais pigiais diržais, – Sygreivas užsitraukė atsainiai susuktą Voeno paduotą cigaretę. Vėpsodamas į krūvą apleistų automobilių savo sodo gale, jis sulaikė dūmus plaučiuose. – Ar gali įsivaizduoti jas, Voenai, kur nors susiduriančias didžiuliu greičiu? Kaip gražiai jos verstųsi. Arba kaip puikiai atrodytų susidūrusios kaktomuša. Aš dažnai apie tai svajoju. Tai vis tavo darbas, Voenai.

Voenas pritariamai nusišypsojo:

– Tu, žinoma, teisus. Nuo ko pradėsim?

Sygreivas šyptelėjo pro dūmus. Jis nekreipė dėmesio į žmoną, kuri bandė jį nuraminti, ir žvelgė į Voeną:

– Aš žinau, nuo ko pradėčiau...

– Gal.

– ...Taip ir matau tas dideles krūtis, sutraiškytas prietaisų skydelio.

Voenas staiga nusisuko, tarsi bijodamas, kad Sygreivas įgijo prieš jį pirmenybę. Dėl kaktą ir burną marginančių randų jo veido išraiškos neatitiko įprastų jausmų. Jis pažvelgė į sofą, ant kurios televizijos prodiuseris ir sužalota jauna moteris, Gabrielė, perdavinėjo vienas kitam suktinę.

Aš susiruošiau išeiti, ketindamas palaukti Helenos automobilyje. Voenas išėjo iš paskos. Jis sugniaužė mano ranką.

– Neišeik dar, Balardai. Norėčiau, kad man padėtum.

Jam apsidairius, mane persmelkė jausmas, kad Voenas valdo mus visus, kiekvienam suteikdamas tai, ko jis labiausiai trokšta ir labiausiai bijo.

Nusekiau jį koridoriumi į fotolaboratoriją. Jis mostu pakvietė mane į kambario vidurį ir uždarė duris.

– Tai naujas projektas, Balardai, – jis ranka apvedė kambarį. – Aš darau specialų televizijos filmų ciklą, tai bus daugiaserijinio projekto dalis.

– Jūs išėjote iš NCL?

– Žinoma, šis projektas per daug svarbus, – jis papurtė galvą, atsikratydamas asociacijų. – Didelė valstybinė laboratorija nepritaikyta tam, ką mes darome – nei psichologiškai, nei kaip nors kitaip.

Šimtai nuotraukų buvo prismeigtos prie sienų, gulėjo ant suolų tarp ryškinimo vonelių. Grindys aplink didintuvą buvo užverstos blyškiais atspaudais, pusiau išryškintais ir atmestais, vos tik juose ėmė matytis vaizdai. Kol Voenas sukiojosi aplink stalą centre, vartydamas oda įrišto albumo lapus, aš apžiūrinėjau po savo kojomis besimėtančius atspaudus. Daugelyje jų buvo tiesmukai pavaizduoti automobiliai ir sunkvežimiai po susidūrimo greitkelyje, apsupti žmonių ir policijos, arba iš arti nufotografuoti sudaužyti priekiniai stiklai ir sulankstytos radiatorių grotelės. Dauguma nuotraukų buvo padarytos pro automobilio langą, virpančia ranka, jose buvo matyti migloti piktų policininkų ir sanitarų, grūmojančių pro šalį važiuojančiam fotografui, kontūrai.

Greitai apžiūrėjęs, aš nepamačiau šiose nuotraukose pažįstamų žmonių, tačiau ant sienos virš metalinės kriauklės šalia lango kabojo išdidintos šešių vidutinio amžiaus moterų nuotraukos. Mane nustebino jų akivaizdus panašumas į Verą Sygreiv, kaip ji atrodytų po dvidešimties metų. Šiose nuotraukose buvo pavaizduotos skirtingos moterys: viena man atrodė it gerai išsilaikiusi sėkmingo verslininko žmona, ant pečių užsimetusi lapės kailį, kita buvo panaši į klimakso kamuojamą prekybos centro kasininkę, trečia – į nutukusią bilietų pardavėją gabardinu apsiūta uniforma. Skirtingai nei likusios nuotraukos, šios buvo atliktos labai kruopščiai, galingu objektyvu, nukreiptu į langus ir besisukančias stiklines duris.

Voenas kur pakliuvo atvertė albumą ir padavė man. Atsirėmęs į duris jis žiūrėjo, kaip aš reguliuoju stalinę lempą.

Pirmi trisdešimt puslapių vaizdavo jaunos socialinės darbuotojos, Gabrielės, kuri šiuo metu sėdėjo svetainėje ant sofos ir suko hašišo suktines, avariją, hospitalizaciją ir reabilitaciją. Taip jau sutapo, kad jos mažas sportinis automobiliukas įsirėžė į oro uosto autobusą prie įvažiavimo į tunelį, visai netoli mano avarijos vietos. Jos veidas smailiu smakru ir jau pradėjusia tinti oda buvo atloštas ant alyva užlietos sėdynės. Aplink sulamdytą automobilį būriavosi policininkai, sanitarai ir žiopliai. Pirmame pirmųjų nuotraukų plane gaisrininkas su pjaustymo įranga bandė išpjauti dešines priekines duris. Jaunos moters sužeidimų dar nebuvo matyti. Ji bereikšmiai žvelgė į degiklį laikantį gaisrininką, tarsi tikėdamasi seksualinio smurto. Vėlesnėse nuotraukose ėmė ryškėti mėlynės, kurioms buvo lemta padengti jos veidą tarsi antros asmenybės bruožais, paslėptais jos sielos veidais, kurie turėjo atsiskleisti daug vėliau, senyvame amžiuje. Mane pribloškė tvarkingos mėlynių linijos aplink jos plačią burną. Dėl šių liguistų pagilėjimų ji atrodė panaši į egoistišką senmergę, su ilga nesusiklosčiusių santykių istorija. Vėliau ant rankų ir pečių išryškėjo dar daugiau mėlynių, vairo kolonėlės ir prietaisų skydelio įspaudų; jie atrodė taip, tarsi meilužiai, apimti vis augančios, sunkiai suprantamos nevilties, būtų ją mušę visu keistų įrankių rinkiniu.

Voenas vis dar stovėjo man už nugaros, atsirėmęs į duris. Pirmą kartą nuo mūsų susitikimo jo kūnas buvo visiškai atsipalaidavęs, maniakiškus judesius kažkokiu būdu ramino mano susidomėjimas albumu. Aš perverčiau dar keletą puslapių. Voenas buvo surinkęs išsamų jaunos moters fotografijų dosjė. Spėjau, kad jis atsitiktinai užtiko avariją; buvo praėjusios vos kelios minutės, kai jos automobilis įsirėžė į oro uosto autobusą. Išgąsdinti kelių keleivių veidai žvelgė pro galinį autobuso stiklą į sumaitotą sportinį automobilį, kurį ši sužeista moteris atgabeno jiems tiesiai po langais tarsi vaizdingą skulptūrą.

Kitose nuotraukose ji buvo keliama iš automobilio, baltas sijonas apsunkęs nuo įsigėrusio kraujo. Jos bejausmis veidas ilsėjosi ant gaisrininko rankos, keliančios ją iš kruvino sėdynės dubens. Ji priminė pamišusį sektantą iš Amerikos pietų, ką tik pakrikštytą ėriuko krauju. Kepurę nusivožęs policijos vairuotojas laikė vieną neštuvų rankeną, jo kvadratinis žandikaulis buvo prispaustas prie jos kairės šlaunies. Tarp šlaunų tamsavo gaktos trikampis.

Kelios nuotraukos vaizdavo sudaužytą automobilį sąvartyne, iš arti nufotografuotas išdžiūvusio kraujo dėmes ant vairuotojo ir keleivio sėdynių. Vienoje iš šių nuotraukų šmėkštelėjo ir pats Voenas;

stovėdamas Bairono poza, jis spoksojo į automobilį, per aptemptus džinsus ryškėjo jo masyvus penis.

Paskutiniame nuotraukų pluošte jauna moteris buvo įamžinta sėdinti chromuotame neįgaliųjų vežimėlyje. Štai draugė ją veža rododendrais apsodinta reabilitacinės gydyklos veja, štai ji pati valdo savo blizgantį vežimėlį šaudymo iš lanko varžybose ir pagaliau mokosi vairuoti neįgaliesiems pritaikytą automobilį. Kol aš žvelgiau, kaip ji bando perprasti sudėtingą pedalų ir pavarų perjungimo sistemą, supratau, kaip smarkiai ši tragiškai sužalota jauna moteris pasikeitė sveikdama po avarijos. Pirmosios nuotraukos, kuriose ji guli sudaužytame automobilyje, vaizdavo paprastą jauną moterį; jos simetriški veido bruožai ir gaivi oda spinduliavo jaukaus ir pasyvaus gyvenimo santūrumą ir menkus ant galinių pigių automobilių sėdynių patirtus malonumus, kuriais ji džiaugėsi neturėdama jokio supratimo apie tikrąsias savo kūno galimybes. Galėjau įsivaizduoti ją sėdinčią pusamžio socialinės rūpybos pareigūno automobilyje, nė nenutuokiančią apie kompoziciją, kurią sukuria jos lytiniai organai ir prietaisų skydelio dizainas, nekreipiančią dėmesio į erotikos ir fantazijos geometriją, pirmąkart jai atsiskleisiančią avarijos metu, ugningų vestuvių šokio sūkuryje, besisukančiame aplink jos kelius ir gaktą. Ši miela mergina, supama jaukių erotinių svajonių, atgimė lūžtančiuose lamdomo sportinio automobilio rėmuose. Prabėgus trims mėnesiams, sėdėdama šalia fizioterapijos instruktoriaus savo naujame neįgaliesiems pritaikytame automobilyje, ji stipriais pirštais taip spaudė chromuotas rankenėles, tarsi šios būtų jos klitorio ataugos. Jos gudrios akys, rodos, puikiai suvokė, kad erdvė tarp jos sužalotų kojų nuolat patenka į šio raumeningo jaunuolio regos lauką. Kol ji perjunginėjo pavarų dėžės svirtis, jo žvilgsnis nardė drėgnoje jos gaktos dubumoje. Sulamdytas sportinio automobilio korpusas pavertė ją nevaržoma ir patologiškai seksualia būtybe, tarp išsiklaipiusių pertvarų ir varvančio variklio aušinimo skysčio išlaisvinusia visas iškrypusias savo lyties galimybes. Jos sužalotos šlaunys ir sunykę blauzdų raumenys tapo puikia įkvepiančių iškrypimų medžiaga. Kai ji pro langą žvelgė į Voeno laikomą kamerą, jos viliojančios akys leido suprasti, kad ji žino, kaip labai jis ja susidomėjęs. Jos rankų padėtis ant vairo ir greičio pedalo, išsikraipę pirštai, tarsi rodantys į krūtinę, priminė kažkokio stilizuoto masturbacijos ritualo dalis. Atrodė, kad jos valingo, kampuoto veido mimika atkartoja deformuotas automobilio plokštumas, tarsi ji būtų sąmoningai nusprendusi, kad šie suskaldyti prietaisų gaubtai – lengvai prieinama iškrypimų antologija, alternatyvaus seksualumo raktas. Įdėmiai apžiūrėjau fotografijas ryškioje šviesoje, nevalingai įsivaizduodamas jos nuotraukų seriją, kurią galėjau sukurti aš. Tai būtų įvairūs lytiniai aktai: jos kojos, palaikomos sudėtingų mechanizmų detalių, skridinių ir įtvarų; ji su savo instruktoriumi – ji kviečia šį jauną naivuolį susipažinti su naujomis savo kūno formomis, išvystydama tokias seksualines galimybes, kurios taptų tiksliu atitikmeniu įgūdžių, sukurtų vis gausėjančių dvidešimtojo amžiaus technologijų. Galvodamas apie orgazmo metu įsitempiančius jos nugaros tiesiamuosius raumenis, apie stovinčius ant sunykusių šlaunų plaukelius, aš žvelgiau į aiškiai nuotraukose matomą stilizuotą automobilio gamintojo ženklą, į griežtas langų rėmų apybraižas.

Voenas tyliai stovėjo atsirėmęs į duris. Aš verčiau puslapius. Likusi albumo dalis, kaip aš ir nujaučiau, buvo skirta mano patirtai avarijai ir pasveikimui. Nuo pat pirmos nuotraukos, kuri vaizdavo mane, nešamą į Ešfordo ligonės traumatologijos skyrių, aš supratau, kad Voenas laukė manęs atvykstančio – vėliau sužinojau, kad jis per savo automobilio radiją klausėsi greitosios pagalbos pranešimų, transliuojamų ultratrumposiomis bangomis.

Dalis nuotraukų labiau apibūdino Voeną – jose buvo kraštovaizdis ir fotografą dominantys dalykai, – o ne mane. Neskaitant mano nuotraukų ligoninėje, galingu objektyvu nufotografuotų pro atvirą palatos langą – aš guliu lovoje, apmuturiuotas didesniu tvarsčių kiekiu, nei tuomet galėjau įsivaizduoti, – visų nuotraukų antras planas buvo vienodas – automobilis. Automobilis, judantis oro uosto greitkeliais, įstrigęs spūstyse ties posūkiu, pastatytas akligatvyje ar tinkančiame pasimylėti ramiame skersgatvyje. Voenas sekė mane nuo policijos automobilių aikštelės iki oro uosto, nuo daugiaaukščio garažo iki Helenos Remington namų. Iš šių neryškių nuotraukų galėjo susidaryti įspūdis, kad visą savo gyvenimą aš praleidžiu automobilyje arba šalia jo. Manimi Voenas domėjosi minimaliai; jį domino ne keturiasdešimtmečio televizijos reklamų prodiuserio elgesys, o anoniminės asmenybės ir jo automobilio sąveika, tai, kaip jo kūnas juda nusvidintomis plastikinėmis plokštumomis ir vinilinėmis sėdynėmis, jo veidas, atsispindintis prietaisų skalėse.

Šių fotografinių užrašų leitmotyvas išryškėjo, kai aš atsigavau po patirtų sužeidimų: tai buvo mano santykiai su žmona, Renata ir daktare Helena Remington, apibrėžti automobilio ir jo techninės aplinkos. Šiose išskydusiose nuotraukose Voenas įamžino atsargius apkabinimus, mano sužalotam kūnui pamažu nyrant į pirmąją po avarijos sueitį. Jis užfiksavo mano ranką, ištiestą žmonos automobilio pavarų dėžės link – vidinėje mano dilbio pusėje likęs pavarų perjungimo svirties įspaudas, nubrozdintas riešas prispaustas prie jos šlaunies; mano vis dar nutirpusią burną, apžiojusią Renatos kairį spenelį, aš traukiu jos krūtį iš palaidinukės, o mano plaukai pasklidę ant palangės; Heleną Remington, apsižergusią mane savo juodojo sedano keleivio sėdynėje, jos sijonas užplėštas iki juosmens, randuoti keliai remiasi į vinilinę sėdynę, mano penis slysta į jos lytį, įžambiai nufotografuotas prietaisų skydelis marguoja išskydusiomis elipsinėmis dėmėmis, panašiomis į burbulus, kylančius iš mūsų laimingų įsčių.

Voenas žvelgė man per petį kaip instruktorius, pasiruošęs padėti daug žadančiam mokiniui. Kol aš žiūrėjau į save, nuotraukoje prisiglaudusį prie Renatos krūties, Voenas palinko virš manęs. Skilusiu nagu, po kuriuo tamsavo variklio alyva, jis parodė, kaip chromuota palangė jungiasi su įtemptu moters liemenėlės dirželiu. Nuotraukoje atrodė, kad abu jie susivijo į metalo ir nailono kilpą, iš kurios man į burną spraudėsi suspaustas spenelis.

Voeno veidas liko beaistris. Ant jo kaklo aš pastebėjau vaikystėje vėjaraupių paliktą randų salyną. Nuo jo baltų džinsų sklido aštrus, bet ne atgrasus kvapas: sėklos ir variklio aušinimo skysčio mišinys. Jis pervertė nuotraukas, retkarčiais pasukdamas albumą ir parodydamas man fotoaparato pagautą neįprastą rakursą.

Žvelgiau, kaip Voenas užverčia albumą, ir stebėjausi, kodėl aš nesugebu sužadinti savyje nors parodomojo pykčio, kodėl nesibaisiu šiuo brovimusi į mano gyvenimą. Tačiau Voeno atsiribojimas nuo bet kokių emocijų ir susirūpinimo jau sukėlė norimą efektą. Turbūt šios smurtu ir seksualumu persunktos nuotraukos iškėlė į mano sąmonės paviršių kažkokį paslėptą homoerotinį elementą. Deformuotas sužalotos merginos kūnas, kaip ir deformuoti sudaužytų automobilių kėbulai, atskleidė man visiškai naujo seksualumo galimybes. Voenui pavyko aiškiai apibrėžti mano poreikį surasti patirtoje avarijoje teigiamų potyrių.

Aš nužvelgiau ilgas Voeno šlaunis ir standžius sėdmenis. Kad ir koks kūniškas būtų su Voenu atliktas sodomijos aktas, jokio erotinio susijaudinimo jis nekeltų. Būtent tai ir darė šį aktą įmanomą.

Jei, atsidūrus ant galinės automobilio sėdynės, man teks įkišti savo penį į jo subinę, tai bus toks pat abstraktus ir stilizuotas įvykis, kaip ir Voeno nuotraukose įamžintieji.

Pro duris netvirtu žingsniu įėjo televizijos režisierius, drėgna suktinė tarp jo pirštų buvo išsivyniojusi.

– V., ar negalėtum susukti? Sygreivas ją išdraikė, – jis tuščiai patraukė pro cigaretės šone atsiradusį plyšį ir linktelėjo man. – Mūsų nervų centras, ką? Voenas viską paverčia nusikaltimu.

Voenas padėjo kameros trikojį, kurį tepė alyva, meistriškai sukišo tabaką į cigaretę ir nuo delno subėrė hašišo grūdelius. Jis lyžtelėjo popierių smailiu liežuviu, kuris kyščiojo iš randuotos burnos it reptilijos liežuvėlis. Jo šnervės virpėdamos traukė dūmus.

Aš peržiūrėjau šviežiai išspausdintų nuotraukų pluoštą, gulėjusį ant stalo prie lango. Visose pamačiau pažįstamą veidą aktorės, nufotografuotos, kai ji lipo iš limuzino prie Londono viešbučio.

– Elizabetė Teilor. Jūs ją sekate?

– Dar ne. Man reikia su ja susitikti, Balardai.

– Dalis jūsų projekto? Abejoju, ar ji galės jums padėti.

Voenas žirgliojo po kambarį, nelygiai statydamas kojas.

– Ji dabar dirba Šepertone. Argi jūs nenaudojate jos fordui skirtame filmuke?

Voenas laukė, kol aš prabilsiu. Žinojau, kad atsikalbinėjimai tik paskatins jį veikti. Galvodamas apie liguistas Sygreivo fantazijas – priversti žvaigždes pačias sudaužyti kaskadininkų automobilius, – aš verčiau nusprendžiau patylėti.

Perskaitęs šias mintis mano veide, Voenas pasuko link durų:

– Aš pakviesiu daktarę Remington ir mes vėl grįšime prie šio pokalbio.

Ir įteikė man, galbūt kaip susitaikymo ženklą, šūsnį gerokai nučiurusių daniškų pornografinių žurnalų.

– Pažvelkite į tai – jos padarytos daug profesionaliau. Galite mėgautis jomis kartu su daktare Remington.

Gabrielė, Vera Sygreiv ir Helena vaikščiojo sode, jų balsai skendo kylančių iš oro uosto lėktuvų triukšme. Gabrielė ėjo per vidurį, jos supančiotos kojos tarsi parodijavo iškilmingą mokyklos baigimo ceremonijos eiseną. Mirtinai išblyškusi jos oda atspindėjo gintarinę gatvės žibintų šviesą. Helena prilaikė ją už kairės alkūnės, švelniai vesdama per aukštą, iki kelių, žolę. Staiga aš supratau, kad per visą tą laiką, kurį praleidau su Helena Remington, mes niekada nesikalbėjome apie jos žuvusį vyrą.

Aš peržvelgiau spalvotas žurnalų nuotraukas; visų jų centriniame atvarte puikavosi vienos ar kitos markės automobilis – viliojantys vaizdai jaunų porų, užsiiminėjančių grupiniu seksu aplink amerikietišką automobilį, pastatytą ramios pievelės viduryje; nuogas pusamžis verslininkas su savo sekretore ant galinės mersedeso sėdynės; homoseksualai, nurenginėjantys vienas kitą pikniko šalikelėje metu; motorizuota paauglių sekso orgija dviaukštėje automobilių pervežimo priekaboje, jie taip ir mirgėjo tarp apdaužytų automobilių. Visi šie puslapiai buvo persmelkti prietaisų ir skydelių blizgesio nuo saulės, kruopščiai nupoliruoto plastiko žvilgesio, atspindinčio minkštą papilvę ar šlaunį, gaktos plaukų sąžalynus, vešinčius kiekviename automobilio salono kampelyje.

Voenas stebėjo mane, sėdėdamas geltoname krėsle, Sygreivas žaidė su sūneliu. Prisimenu jo veidą, atsainų, bet rimtą, kai Sygreivas atsisagstė marškinius ir priglaudė berniuko lūpas prie savo spenelio, suspausdamas grubią odą į krūties parodiją.

1 1

Susitikimas su Voenu ir mano avariją dokumentuojantis nuotraukų albumas atgaivino šios traumos prisiminimus. Po savaitės nusileidęs į garažą rūsyje, supratau, kad negaliu pasukti automobilio studijos Šepertone link, tarsi per naktį mano automobilis būtų pavirtęs į japonišką žaisliuką, judantį tik viena kryptimi, arba į jį, kaip ir į mano galvą, būtų įmontavę galingą giroskopą, nukreipiantį mus tik oro uosto viaduko link.

Laukdamas, kol Katrina išvažiuos į savo skraidymo pamokas, aš važiavau greitkelio link ir po kelių minučių pakliuvau į spūstį.

Sustingusių automobilių juostos tęsėsi iki horizonto, kur susiliejo su užsikimšusiais posūkiais į greitkelius, vedančius į Londono vakarus ir šiaurę. Taip slenkant į priekį, akiratyje pasirodė mano gyvenamasis namas. Pro balkono turėklus galėjau įžvelgti Katriną, užsiėmusią kažkokiais sudėtingais reikalais – ji du ar tris kartus paskambino ir kažką pakeverzojo į bloknotą. Netikėtai man pasirodė, kad ji vaidina mane. Aš jau žinojau, kad grįšiu į butą jai išėjus ir šiame atvirame visų žvilgsniams balkone sustingsiu sveikstančiojo poza. Aš pirmąkart suvokiau, kad, sėdėdamas ten, tuščio daugiaaukščio veido viduryje, buvau matomas dešimtims tūkstančių laukiančių vairuotojų, kurių dauguma susimąstė, kas ta tvarsčiais apvyniota figūra. Jų akimis aš turėjau atrodyti kaip košmariškas totemas, naminis idiotas, kenčiantis nuo avarijos metu patirto nepataisomo smegenų sužalojimo, kas rytą išvežamas į balkoną pažvelgti į sceną, kurioje jį ištiko smegenų mirtis.

Eismas lėtai šliaužė Vakarų prospekto atsišakojimo link. Aš pamečiau Katriną iš akių – tarp mūsų įsiterpė stiklinė daugiaaukščių gyvenamųjų namų siena. Aplinkui mane musėmis knibždančioje saulės šviesoje plytėjo rytinio eismo masė. Keista, bet nejutau jokio nerimo. Ta gili nelaimės nuojauta, kuri lyg šviesoforas kabojo virš mano ankstesnių pasivažinėjimų greitkeliais, dabar išblėso. Tai, kad Voenas yra kažkur netoliese, šalia, šiose perpildytose gatvėse, įtikino mane, kad artėjančio autogedono įminimą galima rasti. Jo lytinių aktų, automobilių radiatorių grotelių ir prietaisų skydelių, alkūnių ir chromuotų langų apvadų sąsajų, vaginų ir prietaisų skalių nuotraukos išreiškė galimybes naujos logikos, sukurtos šių besidauginančių artefaktų, naujos pojūčių ir galimybių santuokos kodų.

Voenas mane išgąsdino. Tai, kaip beširdiškai jis išnaudojo Sygreivą, žaisdamas tūžmingomis fantazijomis, gimstančiomis sutrenktose šio kaskadininko smegenyse, tapo man įspėjimu: norėdamas išpešti naudos iš ką tik šią akimirką susidariusios situacijos, jis griebsis visko.

Kai eismas nunešė mane prie Vakarų prospekto sankryžos, aš padidinau greitį ir, privažiavęs pirmą posūkį į šiaurę, pasukau Dreitono parko link. Įvažiuojant atgal į garažą, virš mano galvos, lyg vertikaliai pastatytas stiklinis karstas, iškilo daugiaaukštis pastatas.

Atsidūręs namuose, ėmiau neramiai blaškytis po butą, ieškodamas bloknoto, kuriame Katrina užsirašė tai, kas jai buvo sakoma telefonu. Aš norėjau perimti bet kokias jos meilužių žinutes, tačiau ne genamas seksualinio pavydo, o dėl to, kad šie santykiai galėjo pakenkti tam, ką mums visiems galbūt rengė Voenas.

Katrina rodė man neslopstantį rūpestį ir meilę. Ji taip primygtinai skatino mane susitikinėti su Helena Remington, kad man kartais atrodė, lyg ji ruoštų dirvą nemokamai konsultacijai, nuspalvintai ryškiais lesbietiškais tonais, dėl kokio nors absurdiško ginekologinio negalavimo – tarpkontinentiniai pilotai, su kuriais ji broliavosi, turbūt buvo užsikrėtę daugiau ligų nei siaubo apimti emigrantai, bandomis varomi per Helenos Remington biurą.

Ieškodamas Voeno, aš visą rytą praleidau bastydamasis oro uosto aplinkkeliais. Stebėjau eismą iš palei Vakarų prospektą išsirikiavusių degalinių automobilių aikštelių. Sukiojausi ir aplink Okeano stotį, vildamasis išvysti Voeną, sekantį žvaigždę ar politiką.

Tolumoje atviru viaduko vingiu vos šliaužė transportas. Kažkodėl prisiminiau Katriną sakant, kad ji nebus patenkinta tol, kol neatliks visų pasaulyje įmanomų lytinių aktų. Kažkur netoliese, betono ir plieno konstrukcijų raizgalynėje, šiame kruopščiai sužymėtame kelio ženklų ir į magistralę vedančių kelių, visuomeninės padėties ir vartotojams skirtų prekių landšafte lyg pasiuntinys judėjo Voenas, padėjęs randuotą alkūnę ant chromuoto lango rėmo, važinėjosi greitkeliais, pro neplautą priekinį stiklą tikėdamasis pamatyti išsipildančią seksualumo ir prievartos svajonę.

Metęs savo bandymus surasti Voeną, aš nuvažiavau į Šepertono studijas. Vartus buvo užstojęs didžiulis techninės pagalbos sunkvežimis. Iš kabinos išlindęs vairuotojas šaukė ant dviejų sargų. Sunkvežimio priekaboje gulėjo juodas sitroenas „Pallas" sedanas, jo ilgas priekis buvo sugrūstas tiesmuko susidūrimo metu. Man sustojus, priėjo Renata:

– Koks siaubingas automobilis. Ar tai tu jį užsisakei, Džeimsai?

– Jo reikia filmukui su Teilor. Šią popietę filmuosime avariją.

– Ir ji vairuos šitą automobilį? Ką čia šneki.

– Ji važiuos kitu automobiliu, šitą mes panaudosime kadrams, kuriuos filmuosime po avarijos.

Vėliau tą dieną prisiminiau sužalotą Gabrielės kūną. Kaip tik pro grimuotojos petį žvelgiau į daug prašmatnesnę ir geriau prižiūrėtą aktorės, sėdinčios prie sudaužyto sitroeno vairo, figūrą. Iš pagarbaus atstumo ją, tarsi tikros avarijos žiūrovai, stebėjo garsintojai ir apšvietėjai. Grimuotoja – rafinuota mergina, turinti geraširdišką humoro jausmą, tokia nepanaši į traumatologijos skyriaus seseles, kurių priešingybė ji, tiesą sakant, buvo, – daugiau nei valandą dirbo kurdama netikras žaizdas.

Aktorė nejudėdama sėdėjo vairuotojo kėdėje, kol paskutiniai teptuko brūkštelėjimai užbaigė tapyti įmantrius kraujo nėrinius, tarsi raudonas vualis besileidžiančius jai ant kaktos. Jos delnai ir dilbiai buvo išmarginti melsvais dirbtinių nubrozdinimų šešėliais. Jos kūnas jau įgavo avarijos aukos padėtį, pirštai silpnai čiupė ryškiai raudonos dervos drūžes ant kelių, šlaunys vos vos pakilo nuo plastikinės sėdynės, lyg vengdamos prisiliesti prie gleivėto paviršiaus. Stebėjau, kaip ji liečia vairą, vargiai jį atpažindama.

Užrakinamame stalčiuke po įlenktu prietaisų skydeliu gulėjo dulkina zomšinė moteriška pirštinė. Ar aktorė, sėdinti automobilyje ir laukianti butaforinės mirties, įsivaizdavo tikrąją auką, sužeistą šį automobilį sumaitojusioje avarijoje, – galbūt kokią nors priemiesčiuose gyvenančią frankofilę namų šeimininkę ar oro linijų stiuardesę? Ar ji instinktyviai mėgdžiojo tos sužalotos moters kūno padėtį, bandydama savo nepakartojama asmenybe perkurti banalią avariją, nereikšmingas žaizdas ir siūles? Ji sėdėjo sudaužytame automobilyje lyg dievybė šventykloje, paruoštoje jai jaunesniojo tikinčiųjų bendruomenės nario kraujo auka. Nors aš buvau už dvidešimties pėdų nuo automobilio, stovėjau šalia garso operatoriaus, man rodėsi, kad jos unikalaus kūno ir asmenybės kontūrai keičia jį. Jos kairioji koja rėmėsi į asfaltą, durelių atrama tarsi pakeitė savo ir prietaisų skydelio formą, vengdama prisiliesti prie jos kelio, lyg visas automobilis būtų deformavęsis ir pagarbiai gaubtų aktorės figūrą.

Garso operatorius pasisuko ant kulnų, mikrofono stovu kliudydamas mano alkūnę. Kol jis atsiprašinėjo, pro mane prasispraudė uniformuotas sargas. Kitoje greitkelio sankryžos, kuri buvo pastatyta šiame filmavimo paviljone, pusėje kilo barnis. Jaunas amerikietis, prodiuserio asistentas, vaidijosi su tamsiaplaukiu, odinį švarką vilkinčiu vyru, bandydamas atimti iš jo kamerą. Kai jį apšvietė atsispindėjęs nuo objektyvo blyksnis, atpažinau Voeną. Jis buvo atsirėmęs į antro sitroeno stogą ir spoksojo į prodiuserį, retkarčiais bandydamas nuvyti jį randuotos rankos mostu. Šalia jo ant automobilio gaubto sėdėjo Sygreivas. Jo šviesūs plaukai buvo surišti į mazgą viršugalvyje, o virš džinsų jis dėvėjo moterišką gelsvai rudą zomšinį paltą. Po jo raudonu aptemptu džemperiu ryškėjo dvi didžiulės krūtys – gerai prikimšta liemenėlė.

Sygreivo veidas buvo nugrimuotas taip, kad primintų kino aktorę, tušas ir veido dažai slėpė jo šviesią odą. Ši nepriekaištinga moteriško veido kaukė priminė košmarišką aktorės parodiją ir atrodė daug grėsmingiau, nei jai tuo metu piešiamos kosmetinės žaizdos. Galvojau, kad Sygreivas, užsimovęs ant savo šviesių plaukų peruką ir apsirengęs tokiais kaip aktorės drabužiais, nuvairuos sveikąjį si-troeną susidurti su trečiu automobiliu, kuriame sėdės jos meilužio manekenas.

Jau dabar, stebėdamas Voeną iš po šios groteskiškos kaukės, Sy-greivas atrodė taip, lyg būtų nežymiai sužeistas šiame susidūrime. Moteriška burna, pernelyg ryškiai išdažytomis akimis ir šviesiais, viršugalvyje į mazgą surištais plaukais jis priminė pagyvenusį trans-vestitą, užkluptą girtą savo buduare. Jis žvelgė į Voeną lengvai pasi-piktinęs, lyg Voenas verstų jį kasdien parodijuoti aktorę.

Voenas nuramino prodiuserio asistentą ir sargą, taip ir neati-davęs savo kameros. Jis parodė Sygreivui sąmokslišką gestą, šyp-sodamasis randuota burna, ir patraukė studijos link. Man priėjus, jis mostelėjo sekti iš paskos, taip įtraukdamas mane į savo greitosiomis suburtą palydą.

Už jo, visiškai pamirštas Voeno, sitroene sėdėjo vienišas Sy-greivas, panašus į išprotėjusią raganą.

– Ar jam viskas gerai? Tau reikėjo nufotografuoti Sygreivą.

– Žinoma, aš tai ir padariau.

Voenas užsimetė kamerą ant dešinio klubo. Su baltu odiniu švarku jis priminė mielą aktorių, o ne maištingą mokslininką.

– Ar jis vis dar gali vairuoti?

– Taip, kol automobilis juda ir važiuoti reikia tiesia linija.

– Voenai, nuvesk jį pas gydytoją.

– Tai viską tik sugadintų. Be to, aš neturiu tam laiko. Jį jau ap-žiūrėjo Helena Remington, – Voenas nusigręžė nuo filmavimo aikš-telės. – Ji prisijungs prie Kelių tyrimo laboratorijos. Po savaitės pas juos bus atvirų durų diena, tada nueisime visi kartu.

– Galiu puikiai apsieiti ir be šios pramogos.

– Ne, Balardai, tai jus nuramins. Tai užima svarbią vietą net te-levizijos filmuose.

Ir jis nuėjo automobilių aikštelės link.

Šis galingas tikrovės ir fantazijos mišinys, sukoncentruotas patetiškoje, tačiau grėsmingoje Sygreivo, nugrimuoto aktore, figūroje, iki pat vakaro išliko mano sąmonėje, veikdamas netgi bendravimą su manęs atvažiavusia pasiimti Katrina.

Ji maloniai paplepėjo su Renata, tačiau netrukus jos dėmesį patraukė spalvotos nuotraukos ant sienų – serijinių sportinių automobilių ir prabangių sedanų segmentai, paimti iš reklaminio filmuko, kurį mes kaip tik kūrėme. Šie išraiškingi į pelekus panašių bagažinės briaunų ir radiatoriaus grotelių, korpuso ir priekinio stiklo portretai, nupurkšti gyvomis pastelinėmis ir ryškiomis akrilinėmis spalvomis, regis, ją užbūrė. Mane stebino jos geraširdiškas pakantumas Renatai. Nusivedžiau ją į montažinę, kurioje du jauni redaktoriai buvo užsiėmę pirminiu montažu. Galbūt Katrina buvo įsitikinusi, kad šiame vaizdiniame kontekste tam tikras erotinis ryšys tarp manęs ir Renatos buvo neišvengiamas, ir jeigu jai pačiai tektų likti šiame biure, dirbti tarp stambiu planu atliktų automobilių kontūrų ir buferių nuotraukų, ji taip pat užmegztų meilės ryšį ne tik su dviem jaunais redaktoriais, bet ir su Renata.

Ji praleido dieną Londone. Automobilyje jos riešai tarsi grojo aromatų klavišais. Katrina pirmiausia mane nustebino nepriekaištinga švara, tarsi ji nuosekliai būtų nušveitusi kiekvieną savo elegantiško kūno centimetrą, atskirai išvėdinusi kiekvieną odos porą. Kartais porcelianinis jos veido paviršius, pernelyg kruopštus makiažas – tarsi tai būtų parodai skirtas gražaus moters veido modelis – vertė mane įtarti, kad visa jos asmenybė yra mįslė. Bandžiau įsivaizduoti, kokia vaikystė galėjo sukurti šią nuostabią jauną moterį, tobulą Ingreso klastotę.

Vangumas, visiškas pasidavimas bet kuriai situacijai buvo tos savybės, kuriomis Katrina mane traukė. Mūsų pirmųjų lytinių aktų metu anonimiuose oro uosto viešbučių miegamuosiuose aš neskubriai ištyrinėjau visas jos angas, kurias tik galėjau rasti, braukiau pirštu per jos dantenas, vildamasis užtikti nors vieną įstrigusį veršienos gabalėlį, spraudžiau liežuvį jai į ausį, tikėdamasis pajusti nors menkiausią sieros prieskonį, ištyrinėjau jos šnerves ir bambą, o galiausiai ir vaginą bei išangę. Tam, kad pajusčiau nors menkutį kvapą išmatų, plonyčiu rudu apvadu nusėdusių po nagu, pirštą turėdavau kišti iki pat galo.

Namo mes išvažiavome kiekvienas savo automobiliu. Laukdamas ties šviesoforu kelyje, išsukančiame į šiaurinį greitkelį, stebėjau Katriną – jos rankos gulėjo ant vairo. Dešiniosios rodomuoju pirštu ji bandė nuo priekinio stiklo nukrapštyti seną lipduką. Stovėdamas šalia jos žvelgiau, kaip, spaudžiant stabdžio pedalą, viena į kitą trinasi jos šlaunys.

Mums važiuojant Vakarų prospektu aš staiga užsinorėjau, kad jos kūnas apglėbtų automobilio saloną. Mintyse spaudžiau jos drėgną vaginą prie kiekvieno prietaisų skydelio išsikišimo, švelniai minkiau jos krūtis į durelių atramas ir rankenėles, lėtai spirale ant vinilinės sėdynės judinau jos išangę, dėjau jos delniukus ant skalių ir palangių. Jos gleivėtų paviršių ir automobilio, mano metalinio kūno susipynimui šviesomis saliutavo pravažiuojantys automobiliai. Šis ypatingai iškreiptas aktas laukė jos tarsi karūnavimas.

Beveik užhipnotizuotas šių svajų, staiga vos už keleto pėdų nuo Katrinos sportinio automobilio aš pastebėjau įlenktą Voeno linkolno buferį. Voenas pračiuožė pro mane, sukinėjosi aplinkui, lyg laukdamas, kol ji padarys klaidą. Persigandusi Katrina išsigelbėjo, užlindusi priešais kraštutine eismo juosta važiuojantį oro uosto autobusą. Voenas važiavo šalia autobuso ir signalizuodamas bei mirksėdamas šviesomis privertė vairuotoją stabtelti, o pats vėl įlindo už Katrinos. Aš važiavau viena iš centrinių juostų ir bandžiau šūktelti Voenui jį lenkdamas, tačiau jis signalizavo Katrinai, savo žibintais nušviesdamas jos galinį buferį. Nė nesusimąsčiusi

Katrina įsuko savo automobiliuką į degalinės stovėjimo aikštelę, priversdama Voeną staigiai apsisukti. Žviegdamas padangomis, jis aplenkė ornamentinę gėlių lysvę su blizgančiais vazonais, tačiau aš savo automobiliu užblokavau jam kelią.

Viso šio veiksmo sujaudinta Katrina sėdėjo tarp ryškiai raudonų degalų pompų ir svilino Voeną akimis. Nuo bandymų juos pasivyti man ėmė skaudėti randus ant kojų ir krūtinės. Aš išlipau iš automobilio ir priėjau prie Voeno. Jis žvelgė į artėjantį mane taip, lyg niekada nebūtume susitikę, jo randuota burna žiaumojo gumos gabalėlį. Kartais jis pažvelgdavo į lėktuvus, kylančius iš oro uosto.

– Voenai, tu šiuo metu nesi prakeiktoje filmavimo aikštelėje.

Voenas raminamai mostelėjo ranka ir perjungė atbulinę pavarą.

– Jai patiko, Balardai. Tai toks savotiškas komplimentas. Paklausk jos.

Jis pajudėjo atbulas plačiu lanku, vos nepartrenkė degalinės darbuotojo ir įsiliejo į ankstyvos popietės eismą.

12

Voenas buvo teisus. Katrina vis dažniau įtraukdavo jį į savo seksualines fantazijas. Naktį, gulėdami lovoje, mes artėdavome prie Voeno per visą tradicinių partnerių panteoną taip pat, kaip Voenas sekdavo mus oro uosto vestibiuliuose.

– Mums reikėtų dar patraukti hašišo, – Katrina žvelgė į lange mirgančias automobilių šviesas. – Kodėl Sygreivą taip apsėdo tos kino aktorės? Tu sakei, kad jis nori į jas atsitrenkti?

– Šitą mintį jam į galvą įkalė Voenas. Jis naudoja Sygreivą kažkokiam savo eksperimentui.

– O ką galvoja žmona?

– Jinai po jo padu.

– O tu?

Katrina gulėjo atsukusi man nugarą, sėdmenimis prisispaudusi prie mano slėpsnų. Kai judindavau penį, žvelgdavau pro savo randuotą bambą į plyšį tarp jos sėdmenų, tyrą tarsi lėlės. Laikiau rankose jos krūtis, savo šonkauliais ji spaudė man į riešą laikrodį. Pasyvi Katrinos poza buvo apgaulinga; dėl ilgos praktikos aš žinojau, kad tai tik erotinės fantazijos preliudija, lėta ir cikliška šviežios seksualinės aukos paieška.

– Ar aš po jo padu? Ne. Tačiau man sunku suprasti jo asmenybės paskatas.

– Ar tavęs nepiktina jo nuotraukos? Panašu, kad jis ir tavimi naudojasi.

Aš ėmiau žaisti dešiniu Katrinos speneliu. Ji dar nebuvo tam pasiruošusi, paėmė mano ranką ir priglaudė sau prie krūtinės.

– Voenas užkariauja žmones sau. Jo elgsenai vis dar stipri televizijos vedėjo įtaka.

– Vargšelis. Tos mergaitės, kurias jis kabina... kai kurios jų tiesiog vaikai.

– Tu vis dar galvoji apie jas. Voeną domina ne seksas, o technologija.

Katrina prisispaudė prie pagalvės – pažįstamas susikaupimo gestas.

– Tau patinka Voenas?

Aš vėl paėmiau jos spenelį ir ėmiau jį dirginti. Jos sėdmenys judėjo mano peniu, balsas pažemėjo ir prikimo.

– Kokia prasme?

– Jis tave žavi, ar ne?

– Jame kažkas slypi. Jo apsėdime.

– Jo prašmatnus automobilis, tai, kaip jis vairuoja, jo vienišumas. Visos tos moterys, kurias jis ten išdulkino. Jis turėtų kvepėti sperma...

– Jis taip ir kvepia.

– Ar jis tau patrauklus?

Aš ištraukiau iš jos vaginos penį ir prispaudžiau jo galvutę prie išangės, tačiau ji mikliai ranka grąžino jį atgal.

– Jis labai išblyškęs, išmargintas randų.

– Ar norėtum jį išdulkinti, ką? Jo automobilyje?

Aš stabtelėjau, bandydamas atitolinti orgazmą, lyg potvynio banga kylantį mano kotu.

– Ne. Bet vairuodamas jis turi kažkokio žavesio...

– Tai seksualumas... Seksualumas ir tas automobilis. Ar matei jo penį?

Kai aš bandžiau nupasakoti jai Voeną, klausiausi savo balso, vos iškylančio virš mūsų kūnų skleidžiamų garsų. Aš papunkčiui išvardijau dalykus, iš kurių mano mintyse susideda Voenas: jo tvirti sėdmenys, aptempti nudrengtais džinsais, kai lipdamas iš automobilio jis pakelia klubą; išgeltusi pilvo oda, atvira beveik iki gaktos plaukų, kai jis rąžosi prie vairo; pusiau stovinčio penio iltis, per drėgną kelnių antuką prispausta prie vairo; mažulyčiai purvo rutuliukai, kuriuos jis krapšto iš savo smailios nosies ir valo į subraižytą durelių plastiką; opelė ant kairiojo smiliaus, kurią aš pastebėjau, kai jis padavė man žiebtuvėlį; jo sukietėję speneliai, per išblukusius žydrus marškinius besitrinantys į garso signalą; skilęs nykščio nagas, krapštantis sėklos dėmę ant sėdynės tarp mūsų.

– Ar jis apipjaustytas? – paklausė Katrina. – Ar įsivaizduoji, kaip atrodo jo išangė? Nupasakok man ją.

Aš tęsiau Voeno aprašymą labiau Katrinos malonumui nei savo. Ji vis giliau spaudė galvą į pagalvę, jos dešinė ranka pradėjo ugningą šokį, priversdama mano pirštus dirginti spenelį. Nors mane ir sužadino mintis pasimylėti su Voenu, atrodė, kad lytiniame akte, apie kurį pasakoju, dalyvauju ne aš, o kažkas kitas. Voenas sukeldavo kažkokį paslėptą homoseksualų impulsą tiktai būdamas automobilyje arba lėkdamas greitkeliu. Jo patrauklumas susidėjo ne iš pažįstamų anatominių dirgiklių – apnuogintos krūtinės apvalumo, minkštos sėdmens pagalvėlės, plaukais apibrėžtos drėgnos tarpvietės arkos, o iš Voeno ir automobilio tarpusavio sąveikos kompozicijų. Atskirtas nuo automobilio, ypač nuo savo simbolinio greitkelių laivo, Voenas nebežadindavo jokio susidomėjimo.

– Ar norėtum su juo pasidulkinti? Ar norėtum įkišti penį tiesiai jam į išangę, įgrūsti jį ten? Pasakyk man, papasakok. Papasakok, ką darytum. Kaip jį bučiuotum tame automobilyje? Nupasakok, kaip ištiestum ranką ir atitrauktum jo kelnių užtrauktuką, o tada ištrauktum jo penį. Ar pabučiuotum jį, ar iš karto imtum čiulpti? Kurioje rankoje jį laikytum? Ar esi kada čiulpęs penį?

Katriną užvaldė jos fantazija. Ką ji matė gulint šalia Voeno, save ar mane?

– ...ar žinai, koks sėklos skonis? Ar esi kada jos ragavęs? Kai kurių sėkla sūresnė nei kitų. Voeno sėkla turėtų būti labai sūri...

Pažvelgiau į jos šviesius, veidą dengiančius plaukus, judančius klubus, pasitinkančius orgazmo bangą. Tai buvo vienas pirmųjų kartų, kai ji įsivaizdavo mane atliekant homoseksualų aktą, ir mane nustebino jos vaizduotės jėga. Ji trūkčiojo orgazmo metu, kūnas sustingo malonumo virpulyje. Prieš man ją apkabinant, Katrina apsivertė veidu žemyn, leisdama mano sėklai ištekėti iš jos vaginos, tada atsikėlė iš lovos ir nėrė į vonią.

Visą kitą savaitę Katrina plaukiojo oro uosto išvykimo salėmis it rujos apimta karalienė. Stebėdamas ją iš savo automobilio ir suprasdamas, kad Voenas taip pat ją seka savo iškrypėlišku žvilgsniu, jutau, kaip mano strėnos pritvinksta, o penis prisispaudžia prie vairo.

13

– Ar jau baigei?

Helena Remington neryžtingai palietė mano petį, lyg aš būčiau vienas iš jos pacientų, kurį gaivinant jai teko gerokai pavargti. Aš gulėjau ant galinės sėdynės, kol ji staigiais judesiais rengėsi, lygino ant klubų gulantį sijoną. Tuo metu ji atrodė tarsi prekybos centro vitrinos puošėja, velkanti ant manekeno drabužį.

Važiuojant į Kelių tyrimo laboratoriją, aš jai pasiūliau sustoti kur nors tarp rezervuarų į vakarus nuo oro uosto. Per praėjusią savaitę Helenos susidomėjimas manimi prigeso, tarsi ji būtų perkėlusi mane ir avariją į praėjusį gyvenimą, kurio pripažinti ji daugiau neketino. Aš žinojau, kad ji tuoj įžengs į lengvabūdiško paleistuvavimo etapą, po netekties jį patiria dauguma žmonių. Mūsų automobilių susidūrimas ir jos vyro mirtis tapo naujos seksualinės aistros raktu. Per pirmus nuo jo mirties praėjusius mėnesius ji įsipainiojo į keletą trumpų romanų, tarsi priimdama visų šių vyrų genitalijas į savo glėbį ir vaginą ji kažkokiu būdu galėtų atgaivinti savo vyrą, tarsi visa jos įsčiose susimaišiusi sperma padėtų atmintyje atkurti blėstantį mirusiojo atvaizdą.

Kitą dieną po pirmo pasimylėjimo su manimi ji susirado naują meilužį, jaunesnįjį Ešfordo ligoninės patologą anatomą. Nuo jo prasidėjo vyrų virtinė: kolegės gydytojos vyras, radiologas praktikantas, personalo garažo vadybininkas. Pastebėjau, kad visus šiuos ryšius, apie kuriuos ji pasakojo be menkiausio drovulio balse, siejo automobilis. Viskas vyko automobilyje arba daugiaaukštėje oro uosto stovėjimo aikštelėje, arba jos garažo tepalų keitimo skyriuje, arba šiaurinio aplinkkelio pakelės aikštelėse, tarsi automobilio buvimas taptų tuo tarpininku, suteikiančiu lytiniam aktui prasmės. Aš pamaniau, kad automobilis kažkokiu būdu vis iš naujo atlieka jos vyro žudiko vaidmenį, būtiną atskleisti naujoms jos kūno galimybėms. Orgazmą ji galėjo patirti tik automobilyje. Tačiau vieną vakarą, gulėdamas šalia jos automobilyje ant daugiaaukštės stovėjimo aikštelės stogo Northolte, aš pajutau, kaip, apimtas priešiškumo ir nevilties, įsitempė jos kūnas. Padėjau ranką ant jos gaktos trikampio, tamsoje jis blizgėjo sidabrine drėgme. Ji patraukė nuo manęs rankas ir įsispoksojo į automobilio saloną, tarsi ketintų susiplėšyti savo krūtis į šiuos metalo ir stiklo ašmenų spąstus.

Aplink mus saulės šviesoje stovėjo apleisti rezervuarai – nematomas jūrinis pasaulis. Helena uždarė langą, nuslopindama kylančio lėktuvo triukšmą.

– Mes daugiau čia nebegrįšime. Tau teks surasti kitą vietą.

Aš taip pat jutau susijaudinimo stoką. Kai Voenas nestebėjo mūsų ir savo fotoaparatu nefiksavo mūsų kūnų padėčių ir odos plotų, mano orgazmas atrodė tuščias ir sterilus, tarsi būčiau tiesiog atsikratęs nereikalingų audinių.

Mintyse mačiau, kaip Helenos automobilis, jo chromas ir plastikas, atgyja nuo mano sėklos ir pavirsta egzotiškų gėlių pavėsine, aplink stogą vejasi vijokliai, grindis ir sėdynes dengia sultinga drėgna žolė.

Žvelgdamas į Heleną, atvirame greitkelio ruože didinančią greitį, staiga pagalvojau, kaip galėčiau ją įskaudinti. Pamaniau, kad reikėtų ją pavėžinti vyro mirties maršrutu – gal tai atgaivins jos seksualinį alkį man, vėl pakurstys tą erotinį priešiškumą, kurį ji juto man ir mirusiam vyrui.

Mums važiuojant pro laboratorijos vartus Helena sėdėjo palinkusi virš vairo, keistai sugniaužusi jį liaunomis rankomis. Jos kūno padėtis negrabiai derėjo su priekinio stiklo atramomis ir vairo kolonėlės kampu, tarsi ji sąmoningai mėgdžiotų sužalotos jaunos moters, Gabrielės, kūno padėtis.

Iš perpildytos automobilių aikštelės mes patraukėme į bandymų vietą. Su mus pasveikinusiu mokslininku Helena apsvarstė dar vieną Susisiekimo ministerijos potvarkį. Ant betono dviem eilėmis stovėjo sudaužyti automobiliai. Sulankstytuose kėbuluose sėdėjo plastikiniai manekenai, jų veidai ir krūtinės buvo sueižėję nuo susidūrimų, pažeistos zonos ant kaukolių ir pilvų pažymėtos spalvotomis plokštelėmis. Helena apžiūrinėjo juos pro išmuštus priekinius stiklus, tarsi jie būtų reikalingi jos priežiūros pacientai. Mes vaikščiojome tarp besirenkančių lankytojų – jie visi buvo su dailiais kostiumais ir gėlėmis puoštomis skrybėlaitėmis, o Helena tiesė rankas pro išdaužtų stiklų šipulius ir glostė plastikines rankas ir galvas.

Likusi dienos dalis pakluso tai pačiai sapno logikai. Ryškioje popietės šviesoje keletas šimtų lankytojų tapo panašūs į manekenus, jie atrodė ne ką tikroviškesni nei plastikinės figūros, kurios tiesiogiai susidūrus sedanui ir motociklui turėjo atlikti vairuotojo ir keleivio vaidmenis.

Bekūniškumo, mano paties raumenų ir kaulų nerealumo jausmas sustiprėjo, kai pasirodė Voenas. Priešais mane mechanikai tvirtino motociklą prie mechanizmo, kuris plieniniais bėgiais bus paleistas į už septyniasdešimties jardų stovintį sedaną. Matuoklių laidai nuo abiejų automobilių tęsėsi prie įrašančių prietaisų, pritvirtintų ant pakylų. Buvo paruoštos dvi kino kameros – pirmoji pastatyta palei bėgius, jos objektyvai atsukti į susidūrimo tašką, antroji nuo keliamojo krano žvelgė žemyn. Vaizdo aparatūra nedideliame ekrane jau rodė mechaniką, tvirtinantį daviklius prie automobilio variklio. Automobilyje sėdėjo keturių manekenų šeima: vyras, žmona ir du vaikai – prie jų galvų, krūtinių ir kojų buvo pritvirtinti laidai. Numatomi sužalojimai, kuriuos jiems teks patirti, jau buvo pažymėti ant jų kūnų; veidai ir krūtinės ląstos margavo raudonomis ir violetinėmis dėmėmis.

Mechanikas paskutinį kartą pajudino prie vairo sėdintį mane-
keną, sudėdamas jo rankas į tinkamą padėtį. Komentatorius, vyres-
nysis mokslinių tyrimų vadovas, per garsiakalbius pasveikino šiuos
eksperimentinės avarijos svečius ir juokaudamas pristatė sėdinčiuo-
sius automobilyje:

– Čarlis ir Greta, tik įsivaizduokite, išvyko pasivažinėti su savo
vaikais Šonu ir Brigita.

Tolimajame aikštelės gale mažesnė technikų grupė ruošė mo-
tociklą, rūpindamasi kameros, pritvirtintos prie lopšio, slysiančio
bėgiais, saugumu. Lankytojai – ministerijos atstovai, kelių saugos
inžinieriai, eismo specialistai ir jų žmonos – susirinko prie susidū-
rimo vietos lyg minia per žirgų lenktynes.

Pasirodžius Voenui, kuris savo ilgomis kreivomis kojomis atžir-
gliojo iš automobilių aikštelės, visi atsisuko, stebėdami prie moto-
ciklo artėjančią juodu švarku apsivilkusią figūrą. Aš beveik tikėjausi,
kad jis apžergs tą mašiną ir bėgiais pajudės tiesiai į mus. Randai ant
kaktos ir aplink burną žiojėjo it kardo paliktos žaizdos. Jis stabte-
lėjo, žvelgdamas, kaip mechanikai kelia plastikinį motociklininką,
Elvį, ant sėdynės, o tada patraukė link mūsų, ranka mosteldamas
Helenai Remington ir man. Jis įžūlokai nužvelgė lankytojus. Mane
ir vėl nustebino tai, kaip jame derėjo asmeninis apsėstumas, užsi-
darymas savo paniškoje visatoje ir tuo pat metu atvirumas visoms
išorinio pasaulio siūlomoms patirtims.

Voenas prasibrovė pro lankytojus. Kairėje rankoje nešėsi pluoštą
reklaminių lapelių ir Kelių tyrimo laboratorijos ataskaitų. Helenai
Remington pažvelgus į jį iš kėdės pirmoje eilėje, jis pasilenkė virš
jos peties.

– Ar nematėte Sygreivo?

– O jis turėjo pasirodyti?

– Vera man dėl jo šįryt paskambino.

Jis atsisuko į mane, patapšnojo per rankoje sugniaužtus popierius.

– Balardai, surink visus popierius, kokius tik gali. Kai ką jie dalija – „Automobilyje esančių žmonių išmetimo mechanizmus", „Žmogaus veido atsparumą susidūrimams"...

Paskutiniam mechanikui pasitraukus nuo bandomojo automobilio, Voenas išmanančiai linktelėjo ir pakomentavo *sotto voce*:

– Susidūrimų simuliacijos technika Kelių tyrimo laboratorijoje tampa įspūdingai pažangi. Naudodamiesi šituo įrenginiu, jie gali atkurti Mensfild ir Kamiu avarijas, netgi Kenedžio avariją, begalę kartų.

– Jie čia bando sumažinti avarijų skaičių, o ne padidinti jį.

– Manau, tai priklauso nuo požiūrio.

Komentatorius šūktelėjo miniai laikytis tvarkos. Tuojau turėjo įvykti bandomasis susidūrimas. Voenas tučtuojau pamiršo mane ir palinko į priekį, it kantrus priemiesčių vojeristas, beveik užsnūdęs prie savo žiūronų. Jo dešinė ranka, pridengta reklaminiais lankstinukais, per kelnių audinį judino penį. Jis suspaudė penio galą, beveik priversdamas galvutę praplėšti nudėvėtą audinį, rodomuoju pirštu nusmaukė apyvarpę. Kartkartėmis jo akys imdavo judėti, nužvelgdamos susidūrimo įrenginį, įsidėmėdamos kiekvieną detalę.

Elektra varomi suktuvai, kurie turėjo paleisti katapultą, ėmė gausti, lynai įsitempė. Voeno ranka judėjo tarpukojyje. Mechanikas pasitraukė nuo motociklo ir davė ženklą savo padėjėjui prie katapultos. Voenas nukreipė savo dėmesį į automobilį priešais mus, jame esantis ketvertas sėdėjo sustingęs, lyg būtų pakeliui į bažnytinį susitikimą. Voenas žvilgtelėjo į mane per petį, lyg norėdamas įsitikinti, ar aš esu jo bendrininkas, jo veidas buvo įsitempęs ir išraudęs.

Garsiai džergžtelėjęs, motociklas šovė taku, lynai žvangėjo tarp metalinių bėgių. Manekenas vairuotojas sėdėjo atsilošęs, švilpiantis oras laikė iškėlęs jo smakrą. Jo rankos buvo prirakintos prie vairo it piloto kamikadzės. Ilga krūtinės ląsta apklijuota davikliais. Priešais jį automobilyje bereikšmiais veidais sėdėjo manekenų šeima.

Jų veidai buvo išmarginti paslaptingais ženklais. Mes išgirdome staigų skardų garsą – tai matuoklių laidai slydo žole palei bėgius. Motociklui susidūrus su sedanu, metalas sprogo. Du mechanizmai pakrypo į apstulbusių žiūrovų pusę. Aš atgavau pusiausvyrą nesąmoningai čiupdamas Voeno petį, kai motociklas ir vairuotojas praskriejo virš automobilio gaubto ir tėškėsi į priekinį stiklą, o tada juodų nuolaužų masė nubildėjo stogu.

Automobilį, pritvirtintą lynais, bloškė per dešimt pėdų atgal. Jis sustingo skersai bėgių. Susidūrimas sumalė gaubtą, priekinį stiklą ir stogą. Šeimos nariai salone sukrito vienas ant kito, priekyje sėdėjusios moters begalvis liemuo įstrigo priekiniame stikle.

Mechanikai raminamai pamojavo miniai ir nuėjo prie motociklo, gulinčio ant šono už penkiasdešimties jardų nuo automobilio. Jie ėmė rankioti motociklininko kūno dalis, galūnes ir galvą pasikišo po pažastimis. Stiklo pluošto nuoskilos nuo jo veido ir pečių lyg sidabrinis sniegas apibiro žolę aplinkui susidūrimo vietą – tikras mirties konfeti.

Garsiakalbiai vėl kreipėsi į minią. Aš bandžiau klausytis komentatoriaus žodžių, tačiau smegenų nepasiekė nė vienas garsas. Baisus ir žiaurus susidūrimas, traiškomas metalas ir stiklas, apgalvotas brangių ir daug darbo kainavusių mechanizmų sunaikinimas iš galvos ištrynė visas mintis.

Helena Remington paėmė mane už rankos ir šypsodamasi drąsinamai linkčiojo galva, lyg bandytų vaikui padėti įveikti kokią nors protinę užduotį.

– Mes dar kartą galime pažiūrėti ekrane, kas įvyko. Jie rodys tai sulėtintai.

Minia patraukė prie stalų. Vėl ėmė skambėti palengvėjimo kupini balsai. Aš atsigręžiau laukdamas, kol prie mūsų prisijungs Voenas. Jis stovėjo tarp tuščių sėdynių, žvilgsnį vis dar nukreipęs į sudaužytą automobilį. Po jo kelnių juosmeniu tamsavo drėgna sėklos dėmė.

Nekreipdamas dėmesio į Heleną Remington, kuri, blankiai šypsodamasi, tolo nuo mūsų, aš spoksojau į Voeną, nežinodamas, ką jam pasakyti. Susidūręs su šiuo sudaužyto automobilio, sudarkytų manekenų ir atviro Voeno seksualumo deriniu netikėtai suvokiau įžengęs į kelią, nutiestą ir į mano smegeninę ir vedantį į labai dviprasmišką sritį. Aš stovėjau už Voeno, žvelgdamas į jo raumeningą nugarą ir plačius pečius, linguojančius po juoda striuke.

Lankytojai stebėjo, kaip motociklas dar kartą susiduria su sedanu. Susidūrimo fragmentai buvo rodomi sulėtintai. Lėtai lyg sapne priekinis motociklo ratas atsitrenkė į automobilio buferį. Sulūžus ratlankiui, padanga nušoko ir susisuko į aštuonetą. Automobilio galas pakilo į orą. Manekenas Elvis šoko nuo sėdynės, jo nerangiam kūnui grakštumo palaimą pagaliau suteikė sulėtinto filmavimo kamera. Lyg virtuoziškiausias kaskadininkas, jis atsistojo ant pedalų, visiškai ištiesęs rankas ir kojas. Jo galva buvo pakelta, smakras atkištas beveik aristokratiškos paniekos poza. Galinis motociklo ratas jam už nugaros pakilo į orą ir atrodė tuoj tuoj trenks jam į pusiaují, tačiau motociklininkas itin grakščiai atplėšė pėdas nuo pedalų ir pakreipė savo skrendantį kūną horizontaliai. Jo pririštos prie vairo rankos dabar tolo nuo kūno kartu su besivartančiu motociklu. Matuoklio laidas nutraukė vieną plaštaką, o kūnas tęsė horizontalų skrydį – galva pakelta, veidas išpaišytas būsimomis žaizdomis švilpia artėjančio stiklo link. Jo krūtinė trenkėsi į gaubtą ir nuslydo poliruotu paviršiumi tarsi banglentė.

Kai automobilis po pirmojo susidūrimo inertiškai judėjo atgal, keturi jo keleiviai artėjo antro susidūrimo link. Jų glotnūs veidai prisispaudė prie stiklo, tarsi jiems knietėtų kuo greičiau pamatyti krūtine automobilio gaubtu čiuožiantį motociklininką. Ir vairuotojas, ir jo keleivė nuleistomis galvomis palietė priekinį stiklą kaip tik tą akimirką, kai į jį rėžėsi motociklininko profilis. Aplink juos sprogo stiklo šukių fontanas, šių šventinių kristalų fone jų figūros atsidūrė dar ekscentriškesnėse padėtyse. Motociklininkas tęsė horizontalią kelionę braudamasis pro priekinį stiklą, jo veidą nuplėšė centre įtaisytas veidrodėlis. Kairė ranka, atsitrenkusi į lango rėmą, nuplyšo ties alkūne ir nušvilpė per stiklo purslus, kartu su nuolaužomis vydamasi persivertusį motociklą. Jo dešinė ranka praslydo pro sudaužytą priekinį stiklą, plaštaką nukirto lango valytuvo giljotina, o dilbis nutrūko, atsitrenkęs į priekinės sėdynės keleivės veidą, kartu nusinešdamas ir jos dešinį skruostą. Motociklininko kūnas slysdamas elegantiškai pasisuko ant šono ir klubais užkliudė dešinę lango atramą, sulenkdamas ją ties suvirinimo siūle. Kojos nubrėžė lanką ir blauzdikauliais trenkėsi į pagrindinę durelių atramą.

Apsivertęs motociklas nukrito ant automobilio stogo, jo vairas pro išmuštą priekinį stiklą nukirto priekyje sėdėjusios keleivės galvą. Priekinis ratas kartu su šake įsmigo į stogą, nutrūkusi grandinė švilpdama nušniojo pro šalį skriejusio motociklininko galvą. Jo byrančio kūno dalys atsimušė į galinį automobilio sparną ir leidosi žemyn motociklo stiklo duženų migloje, kurios it ledukai byrėjo nuo automobilio, tarsi jis ką tik būtų buvęs atšildytas po ilgo suledėjimo. Automobilio vairuotojas, susidūręs su vairu, slydo ant grindų, po vairo kolonėle. Jo begalvė žmona, grakščiai pakėlusi rankas prie kaklo, trenkėsi į prietaisų skydelį. Jos nutrūkusi galva atšoko nuo vinilinės sėdynės ir praskriejo tarp dviejų vaikų, sėdinčių ant galinės sėdynės. Jaunesnioji iš jų, Brigita, pakėlė veidą į automobilio stogą ir mandagiai iškėlė rankas, kai jos motinos galva trenkėsi į galinį stiklą ir keletą kartų, prieš išskriedama pro kairį durelių langą, atšoko nuo automobilio salono sienų.

Automobilis lėtai rimo, sūpuodamasis, sunkiai atsiplėšdamas nuo žemės. Ketvertas keleivių susmego stiklu nubarstytame salone. Jų galūnės, tarsi neperskaitomų gestų enciklopedija, vėl sustingo grubiomis žmogiškomis pozomis. Aplinkui paskutinįkart ištiško matinio stiklo fontanas.

Gal trisdešimt žmonių spoksojo į ekraną, laukdami, kas dar nutiks. Ekrano fone sustingo mūsų vaiduokliški pavidalai; kol buvo rodomas sulėtintas susidūrimas, jų rankos ir veidai liko nejudrūs. Dėl to tarsi sapne įvykusio pasikeitimo vaidmenimis manekenai automobilyje tapo realesni už mus. Pažvelgiau į šilkiniu kostiumėliu apsivilkusią ministerijos pareigūno žmoną, stovinčią šalimais. Ji stebėjo avariją taip susitelkusi, tarsi šioje avarijoje būtų į gabalus plėšoma ji pati ir jos vaikai.

Lankytojai patraukė prie palapinės gerti arbatos, o aš nusekiau Voeną prie sudaužyto automobilio. Jis išspjovė kramtomąją gumą ant žolės ir patraukė tarp kėdžių. Aš žinojau, kad bandomoji avarija ir sulėtintas filmas jam paliko dar didesnį įspūdį negu man. Mus stebėjo vieniša ant kėdės sėdinti Helena Remington. Voenas įsispoksojo į sulamdytą automobilį taip, lyg norėtų jį apkabinti. Jo rankos klaidžiojo po išdraskytą gaubtą ir stogą, veide tarsi čiuptuvai judėjo raumenys. Jis pasilenkė ir pažvelgė į salono vidų, įdėmiai nužvelgdamas kiekvieną manekeną. Laukiau, kol jis ką nors jiems pasakys. Mano žvilgsnis slydo nuo sulankstyto gaubto ir sparnų iki Voeno užpakalio plyšio. Šio automobilio ir jo keleivių sunaikinimas, rodos, suteikė man teisę lytiškai įsiskverbti į Voeno kūną; ir viena, ir kita buvo tik konceptualūs aktai, atsieti nuo bet kokių jausmų, neturintys jokių idėjų ar emocijų, kurias būtų galima jiems suteikti.

Voenas nukrapštė nuo vairuotojo veido stiklo pluošto atplaišą. Jis atplėšė dureles ir šlaunimi prisėdo ant sėdynės krašto, ranka įsitverdamas suklypusio vairo.

– Visada norėjau pasivažinėti sudaužytu automobiliu.

Aš suvokiau šią pastabą kaip pokštą, tačiau Voenas kalbėjo rimtai. Jis jau buvo ramus, tarsi šis smurto aktas būtų išsiurbęs iš jo kūno dalį įtampos ar užbėgęs už akių kokiems nors agresyviems jo veiksmams.

– Ką gi, – pareiškė Voenas, valydamasis nuo delnų stiklo dulkes, – mes jau išvažiuojam. Aš tave pavešiu. – Pastebėjęs mano dvejones, pridūrė: – Patikėk manimi, Balardai, visos avarijos vienodos.

Ar jis suvokė, kad tuo metu mano galvoje slinko visa gundančių paveikslėlių juosta, kurioje vaidmenis atliko Voenas, aš, Helena Remington ir Gabrielė? Ir visi mes atkūrėme priešmirtines keturių manekenų ir stiklo pluošto motociklininko kančias? Tualete šalia automobilių aikštelės Voenas tyčia pademonstravo savo pusiau pasistojusį penį – stovėdamas gana toli nuo pisuaro jis kratė paskutinius lašus ant plytelėmis klotų grindų.

Išėjęs iš laboratorijos jis vėl atgavo visą savo agresyvumą, tarsi jo apetitą būtų pakurstę pro šalį lekiantys automobiliai. Jis rideno savo sunkų automobilį šalutine gatvele, vedančia į greitkelį, sulamdytu buferiu gąsdindamas kiekvieną mažesnę transporto priemonę tol, kol ši nepasitraukdavo jam iš kelio.

Aš patapšnojau delnu per prietaisų skydelį:

– Šis automobilis, kontinentalis – jam gal dešimt metų. Kiek suprantu, tu manai, kad Kenedžio nužudymas buvo ne visai įprasta avarija?

– Tai pagrįsta nuomonė.

– O Elizabetė Teilor? Ar, važinėdamas šiuo automobiliu, tu nekeli jai kokio nors pavojaus?

– Kaip galėčiau?

– Sygreivas... Tas žmogus pusprotis.

Aš stebėjau, kaip jis artėja prie išsukimo iš greitkelio nė nebandydamas sumažinti greičio ir nepaisydamas ženklų.

– Voenai, ar ji kada nors buvo patekusi į avariją?

– Į didelę – ne. Taigi viskas jai dar prieš akis. Galima net spėti, kad ji žus tikrai unikalioje avarijoje. Tokioje, kuri pakeis mūsų sapnus ir fantazijas. Žmogus, kuris mirs avarijoje kartu su ja...

– Ar Sygreivas jau įvertino šitą mintį?

– Savaip.

Mes priartėjome prie pagrindinės žiedinės sankryžos. Pirmąkart nuo išvažiavimo iš Kelių tyrimo laboratorijos Voenas paspaudė stabdžius. Susvyravęs sunkus automobilis ėmė čiuožti plačiu lanku, užkirsdamas kelią jau ėmusiai sukti taksi. Spausdamas greičio pedalą, Voenas išsuko prieš pat jos nosį, žviegiant padangoms ir aidint taksi garso signalui. Jis kažką suriko vairuotojui pro atidarytą langą ir šovė į priekį, į siaurą kanjoną, vedantį šiaurinio kelio link.

Visiems nusiraminus, Voenas ištiesė ranką ir nuo galinės sėdynės paėmė portfelį.

– Aš apklausiu savo programos dalyvius, naudodamas šiuos klausimynus. Jei ką nors praleidau, pasakyk.

14

Didžiuliam automobiliui slenkant kartu su į Londoną judančio eismo srautu, aš ėmiau skaityti Voeno paruoštus klausimynus. Juos užpildę žmonės gana gerai atspindėjo pasaulį, kuriame sukosi Voenas: du programuotojai iš jo buvusios laboratorijos, keletas stiuardesių iš oro uosto, jaunas laborantas iš Helenos Remington klinikos, taip pat Sygreivas su žmona Vera, televizijos prodiuseris ir Gabrielė. Iš tiriamųjų gyvenimo aprašymų, kaip aš ir tikėjausi, sužinojau, kad jie visi buvo patekę į didesnes ar mažesnes avarijas.

Kiekviename klausimyne tiriamiesiems buvo pateiktas politikos, pramogų verslo, sporto, mokslo, meno ir nusikalstamo pasaulio įžymybių sąrašas, iš kurio pasirinkus vieną asmenį, jam reikėjo sukurti įsivaizduojamą, mirtimi pasibaigiančią avariją. Peržvelgęs siūlomą sąrašą aš pastebėjau, kad dauguma įžymybių buvo dar gyvos ir tik keletas mirusių, kai kurios iš jų avarijose. Atrodė, kad šie vardai paskubomis surankioti iš laikraščių ir žurnalų antraščių, televizijos laidų ir dokumentinių filmų.

Tačiau žaizdų ir siūlomų mirties būdų pasirinkimas liudijo, kad tyrimas buvo atliktas kruopščiai ir nuodugniai. Buvo įvardintas kiekvienas įmanomas automobilio ir jame sėdinčiojo susidūrimo būdas: keleivio išmetimo mechanizmai, kelio girnelės ir klubo sąnario sužeidimo geometrija, salono deformacijos susidūrus kaktomuša ir susidūrus šonu, traumos, patirtos žiedinėje ir magistralių, greitkelių ir šalutinių kelių sankryžose, detalės, iškrintančios iš automobilio, smogus jam į galą, nubrozdinimai, įgyjami verčiantis automobiliui, galūnių amputacija durelėmis arba stogo detalėmis, verčiantis automobiliui, žaizdos, atsirandančios susižalojus veidą į prietaisų skydelį ar langų detales, galvos odos ir kaukolės žaizdos, atsirandančios susižalojus į veidrodėlius ir saulės skydelius, kaklo sužalojimai, patiriami įsirėžus į kito automobilio galą, pirmojo ir antrojo laipsnio nudegimai avarijose, kurių metu trūksta ir sprogsta degalų bakai, vairo kolonėle perdurtos krūtinės, pilvo traumos, patirtos sugedus saugos diržų mechanizmams, antriniai susidūrimai tarp priekinių ir galinių sėdynių keleivių, kaukolės ir stuburo traumos, patirtos išlėkus pro priekinį stiklą, įvairios kaukolės traumos, patirtos atsitrenkus į priekinį stiklą, nepilnamečių traumos, įskaitant vaikus ir kūdikius, traumos, sukeltos protezų, sužalojimai, patirti neįgaliesiems pritaikytuose automobiliuose, sudėtingos papildomos traumos žmonių, kuriems amputuota viena ar dvi galūnės, sužalojimai, atsiradę dėl papildomos automobilio įrangos – magnetolų, gėrimų baro, radiotelefonų, sužalojimai, atsiradę dėl gamintojo ženklų, saugos diržų užsegimų ir langelių uždarymo rankenėlių.

Pabaigoje buvo pateikta ta sužalojimų grupė, kuri labiausiai rūpėjo Voenui – lyties organų žaizdos, patirtos avarijų metu. Nuotraukos, iliustruojančios siūlomus variantus, akivaizdžiai buvo atrinktos itin kruopščiai – išplėstos iš teismo medicinos žurnalų ir plastinės chirurgijos vadovėlių, atšviestos iš mokslinių monografijų, išimtos iš operacijų ataskaitų, kurias jis pavogė per savo vizitus į Ešfordo ligoninę.

Voenui įsukus į degalinės aikštelę, raudona neoninės iškabos šviesa nutvieskė grūdėtas pasibaisėtinų žaizdų nuotraukas: paauglių krūtis, sutraiškytas prietaisų skalių, pagyvenusių namų šeimininkių krūtis, beveik nupjautas chromuotų langų rėmų, spenelius, nukirstus automobilių ženklų, vyrų ir moterų lytinius organus, sužalotus vairo kolonėlių, ir, skrendant pro priekinį stiklą, lytinius organus, traumuotus durelėmis, sėdynių spyruoklėmis, rankiniais stabdžiais, magnetolų rankenėlėmis. Kol Voenas stovėjo prie automobilio bagažinės ir bėrė degalinės darbuotojai dviprasmiškus komplimentus, mirksinti šviesa išplėšė iš tamsos daugybę sužalotų penių, supjaustytų tarpviečių ir sutraiškytų sėklidžių. Kai kuriose nuotraukose žaizdos buvo iliustruotos ir tomis automobilio dalimis, dėl kurių šie sužalojimai atsirado: šalia į dvi dalis perpjauto penio nuotraukos įdėta rankinio stabdžio įklija; prie stipriai sumuštos moters tarpvietės nuotraukos puikavosi vairo papuošimas su gamintojo ženklu. Šis išdraskytų lytinių organų, automobilio dalių ir prietaisų skydelio detalių junginys sukūrė trikdantį derinį, sukeliantį skausmo ir aistros antplūdį.

Tokius pačius derinius, dar kraupesnius, nes atrodė, kad jie atskleidžia slaptus charakterio bruožus, aš pamačiau veido traumų nuotraukose. Šios žaizdos, tarsi viduramžių manuskriptai, buvo iliustruotos rankenų ir garso signalų papuošimų, galinio vaizdo veidrodėlių ir prietaisų skydelio skalių dalių įklijomis. Vyro, kuriam buvo sulaužyta nosis, veidas buvo įdėtas šalia chromuotos gamintojo emblemos. Ant ligoninės lovos gulėjo jauna juodaodė nieko nereginčiomis akimis, o šalia – galinio vaizdo veidrodėlis. Jo stiklinis žvilgsnis pakeitė jos regą.

Lygindamas užpildytus klausimynus, pastebėjau Voeno apklaustų žmonių pasirinktus skirtingus avarijų variantus. Vera Sygreiv rinkosi atsitiktinai, tarsi jos sąmonė vargiai skirtų skrydį pro priekinį langą, persivertusį automobilį ir susidūrimą kaktomuša. Gabrielė pabrėžė veido sužalojimus. Labiausiai trikdantys buvo Sygreivo atsakymai – visose jo sukurtose avarijose vienintelės jo numanomų aukų traumos buvo žiaurūs genitalijų sužalojimai. Iš visų apklaustųjų tik Sygreivas sudarė nedidelę penkių kino aktorių galeriją, nekreipdamas dėmesio į politikus, sportininkus ar televizijos žvaigždes, kurias išvardijo Voenas. Toms penkioms moterims – Garbo, Džeinei Mensfild, Elizabetei Teilor, Bardo ir Rakelei Velč, Sygreivas sukūrė tikrą seksualinę mėsmalę.

Priešais skambėjo automobilių signalai. Mes įsiliejome į intensyvų eismą, judantį vakarinių Londono priemiesčių link. Voenas nekantriai barbeno pirštais į vairą. Popietės šviesoje, tarsi žymėdami būsimų žaizdų vietas, ryškėjo jo veidą ir kaktą marginantys randai.

Aš varčiau klausimynus. Džeinės Mensfild, Džono Kenedžio, Kamiu ir Džeimso Dyno nuotraukos buvo sužymėtos spalvotais pieštukais, linijos supo jų kaklus ir gaktas, krūtys ir skruostai buvo užbrūkšniuoti, lūpas ir papilves kirto pjūvių brėžiai. Džeinė Mensfild lipo iš automobilio, stovinčio studijos paviljone, kaire koja ji lietė žemę, dešinė šlaunis pakelta, jos paviršius atviras žvilgsniams. Žaviai ir kviečiančiai šypsodamasi, ji išpūtė krūtinę, beveik liesdama ja nuožulnų gaubto priekinio stiklo rėmo paviršių. Viena iš apklaustųjų, Gabrielė, buvo sužymėjusi įsivaizduojamas žaizdas ant savo kairės krūties ir apnuogintos šlaunies, viena spalvoto pieštuko linija buvo brūkštelta ant gerklės, tuo pačiu ryškiu pieštuku buvo pažymėtos automobilio dalys, kurios turėjo susijungti su jos kūnu. Tuščios vietos aplink šias nuotraukas buvo prikeverzotos Voeno pastabų. Dauguma jų baigėsi klaustuku, tarsi Voenas būtų mąstęs apie alternatyvius mirties būdus, priimdamas kai kuriuos kaip tinkamus, o kitus atmesdamas kaip pernelyg ekstremalius. Blyški reporterio daryta nuotrauka automobilio, kuriame žuvo Alberas Kamiu, buvo kruopščiai perdirbta, prietaisų skydelis ir priekinis stiklas aprašinėti žodžiais „tarpunosė", „minkštasis gomurys", „kairiojo skruostikaulio lankas". Dalis apatinio prietaisų skydelio buvo skirta Kamiu lytiniams organams, ciferblatai nuštrichuoti, o pakraštyje palikta vietos įrašams: „penio galvutė", „kapšelio vidus", „šlapimtakis", „dešinioji sėklidė". Pro sudaužytą priekinį stiklą buvo matyti sulamdytas automobilio gaubtas, sulankstyto metalo arka atidengė variklį ir radiatorių, padengtus ilga V formos baltų dažų juosta: „sperma".

Klausimyno pabaigoje slypėjo paskutinė Voeno auka. Elizabetė Teilor šypsojosi pro savo vyro petį iš limuzino, stovinčio šalia Londono viešbučio, galinės sėdynės gelmių.

Galvodamas apie šią naują kojų padėties ir žaizdų sričių algebrą, kurią savo skaičiavimuose naudojo Voenas, aš apžiūrinėjau jos šlaunis ir kelių girneles, chromuotus durų rėmus ir gėrimų baro dangtį. Pamaniau, kad Voenas ar kuris nors iš jo savanorių tiriamųjų dar išlankstys jos kūną įvairiomis keistomis pozomis, tarsi išprotėjusį kaskadininką, ir automobiliai, kuriais ji važinėjasi, taps pornografinių ir erotinių galimybių, kiekvienos įmanomos sekso ir mirties sąjungos, kiekvieno suluošinimo tyrimo mechanizmais.

Voeno ranka paėmė iš manęs aplanką ir vėl įdėjo į portfelį.

Eismas sustojo: įvažiavimai į Vakarų prospektą buvo užkimšti pirmųjų iš miesto plūstančių piko valandos srautų. Voenas atsirėmė į palangę, pakėlė pirštus prie šnervių, lyg uosdamas ant jų galiukų likusį paskutinį sėklos kvapą. Perspėjančios priešais važiuojančių automobilių šviesos, greitkelio žibintai virš galvos, kelio ženklai ir rodyklės apšvietė uždarą veidą šio vienišo žmogaus, sėdinčio prie dulkino automobilio vairo. Aš žvelgiau į aplinkui mus esančių vairuotojų veidus, įsivaizdavau jų gyvenimus tais terminais, kuriuos jiems priskyrė Voenas. Voenui jie visi jau seniai buvo mirę.

Šešiomis juostomis, lyg per vakarinę savo mirties repeticiją, eismas slinko Vakarų prospekto sankryžos link. Aplink mus jonvabaliais mirksėjo raudonos galinių žibintų šviesos. Voenas abejingai laikėsi už vairo, prislėgtai spoksodamas į blunkančią nežinomos vidutinio amžiaus moters paso nuotrauką, prisegtą prie skydelio ventiliacinės angos. Kai pro šalį kelkraščiu praėjo dvi į darbą traukiančios bilietų pardavėjos žaliomis apsiuvinėtomis uniformomis, Voenas išsitiesė ir nužvelgė jų veidus dygiomis kažko laukiančio nusikaltėlio akimis.

Voenui spoksant į jas, aš pažvelgiau į jo sėkla suteptas kelnes. Mane jaudino šis automobilis, pažymėtas visų žmogaus angų gleivėmis. Prisimindamas klausimynų nuotraukas aš žinojau, kad jos apibrėžė lytinio akto tarp manęs ir Voeno pobūdį. Jo ilgos šlaunys, tvirti klubai ir sėdynė, randuoti krūtinės ir pilvo raumenys, kieti speneliai – viskas buvo sukurta galybei žaizdų, tykančių tarp automobilio salone kyšančių jungiklių ir rankenų. Kiekviena iš šių įsivaizduojamų žaizdų buvo mano ir Voeno odos seksualinės jungties pavyzdys. Nenormali automobilio avarijos technologija leido įvykti bet kokiam iškrypėliškam aktui. Pirmąkart mes pajutome viliojančius signalus mums palankios psichopatologijos, puoselėjamos dešimtyse tūkstančių automobilių, judančių greitkeliais, gigantiškuose lėktuvuose, kylančiuose virš mūsų galvų, pačiose kukliausiose mechaninėse struktūrose ir skardos lakštuose.

Spausdamas garso signalą, Voenas privertė lėtojo eismo juostose esančius vairuotojus pasitraukti ir praleisti jį prie kelkraščio. Atsilaisvinus keliui, Voenas įvažiavo į prekybos centro automobilių aikštelę, pastatytą ant virš greitkelio esančios platformos. Įsispitrijęs į mane užjaučiančiu žvilgsniu, jis tarė:

– Tau buvo sunki diena, Balardai. Nusipirk bare ko nors išgerti. Aš tave pavežiosiu.

15

Ar Voeno ironija turėjo ribas? Man grįžus iš baro, jis sėdėjo atsirėmęs į linkolno palangę ir sukosi paskutinę iš keturių cigarečių su tabaku ir hašišu, kuriuos saugojo dėtuvėje esančioje tabako skardinėje. Dvi smailiaveidės oro uosto kekšės, vos vyresnės nei mokyklinio amžiaus, ginčijosi su juo pro langelį.

– O kur, velniai rautų, jūs norėjote eiti?

Voenas paėmė iš manęs du nusipirktus vyno butelius. Jis numetė cigaretes ant prietaisų skydelio ir tęsė ginčą su merginomis. Jie atsainiai kalbėjosi apie kainą ir laiką. Stengdamasis nesiklausyti jų balsų ir automobilių gaudesio, aš žvelgiau į lėktuvus, virš vakarinės tvoros kylančius iš Londono oro uosto į žalių ir raudonų švieselių žvaigždynus, kurie, rodos, stumdė didžiulius dangaus gabalus.

Dvi moterys žvilgtelėjo į saloną, akimirksniu mane įvertindamos. Aukštesnioji, kurią Voenas skyrė man, buvo inertiška blondinė bukomis akimis, žvelgiančiomis per tris colius virš mano galvos. Ji mostelėjo į mane savo plastikine rankine.

– Ar jis gali vairuoti?

– Žinoma, tik kad automobilis geriau važiuotų, reikia išgerti truputį vyno.

Varydamas merginas į automobilį, Voenas mojavo buteliais tarsi svarmenimis. Kai antroji mergina trumpais juodais plaukais ir berniukišku siauraklubiu kūnu pravėrė keleivio dureles, Voenas jai padavė butelį. Pakėlęs jos smakrą, įkišo jai į burną pirštus, ištraukė kramtomosios gumos gniutulą ir išmetė į tamsą.

– Atsikratykim šito, nenoriu, kad užkimštum man šlapimtakius.

Prisitaikęs prie man nepažįstamo valdymo, aš įjungiau variklį ir išsukau iš aikštelės į kelią. Virš mūsų Vakarų prospektu Londono oro uosto link lėtai judėjo eismas. Voenas atkimšo vyno butelį ir perdavė šalia manęs priekyje sėdinčiai blondinei. Jis prisidegė vieną iš keturių susuktų cigarečių. Jo ranka jau įlindo tarp tamsiaplaukės šlaunų, jis pakėlė sijoną, atidengdamas tamsią tarpvietę. Voenas ištraukė kamštį iš antro butelio ir prispaudė drėgną kakliuką prie jos baltų dantų. Galinio vaizdo veidrodėlyje aš mačiau, kaip ji stengiasi išvengti Voeno lūpų. Ji įtraukė suktinės dūmų, jos ranka glostė Voeno tarpkojį. Voenas atsilošė, atsainiai tyrinėdamas jos smulkius veido bruožus, nužvelgė ją nuo galvos iki kojų, tarsi akrobatas, planuojantis visus sudėtingos įrangos reikalaujančio gimnastikos triuko kliūtis ir pavojus. Dešine ranka jis atitraukė kelnių užtrauktuką ir išlaisvindamas savo penį išsilenkė į priekį. Mergina sugniaužė jį ranka, antrąja prilaikydama butelį, o aš išsukau automobilį tolyn nuo eismo šviesų. Savo randuotais pirštais jis atsagstė jos palaidinę ir apnuogino mažas krūtis. Čiupinėdamas jas, Voenas nykščiu ir smiliumi suspaudė spenelį, ištempdamas jį į priekį specifiniu gestu, lyg montuotų neįprasto laboratorijos įrengimo dalį.

Už dvidešimties jardų priešais mane plykstelėjo stabdžių žibintai. Dalyje automobilių ėmė aidėti garso signalai. Blyksint jų žibintams aš perjungiau pavarą, nuspaudžiau greičio pedalą ir šoviau į priekį. Voenas su mergina atsilošė galinėje sėdynėje. Salonas buvo apšviestas tik prietaisų skalių ir sausakimšo greitkelio šviesų bei galinių automobilių žibintų. Voenas jau apnuogino abi merginos krūtis ir dabar glamonėjo jas delnu. Jo randuotos lūpos traukė tirštą trupančios suktinės dūmą. Jis pakėlė butelį ir priglaudė prie jos lūpų. Kol ji gėrė, Voenas užkėlė jos pėdas ant sėdynės ir ėmė savo peniu braukyti jos šlaunų odą, iš pradžių vesdamas juo per juodą vinilą, o tada galvute braukdamas nuo kulno iki kelio, tarsi prieš mylėdamasis su automobiliu ir mergina, būtų tikrinęs šių dviejų medžiagų tęstinumą. Jis atsigulė ant galinės sėdynės, glostydamas juodo vinilo apmušalą, ištiesė virš galvos kairę ranką. Jo delnas, sudarantis statų kampą su dilbiu, tyrinėjo chromuoto stogo krašto geometriją, o dešinė ranka nuslydo merginos šlaunimi ir apgniaužė jos sėdmenis. Atsitūpusi ir prispaudusi prie užpakaliuko kulnis, mergina praskėtė savo šlaunis ir atkišo mažą gaktos trikampį, lūpos buvo praviros ir pabrinkusios. Pro besivejančius virš peleninės dūmus Voenas geraširdiškai žvilgsniu tyrinėjo merginos kūną.

Rimtą merginos veidelį apšvietė pro šalį šliaužiančių automobilių žibintai. Salonas buvo pilnas drėgnų iškvėptų degintos dervos dūmų. Atrodė, kad mano galva plaukioja tuose dūmuose. Kažkur toli priekyje, už milžiniškų beveik nejudančių automobilių eilių, buvo ryškiai apšviestas oro uosto plokščiakalnis, tačiau aš nesugebėjau daugiau nieko, tik nukreipti automobilį palei skiriamąją juostą. Blondinė priekinėje sėdynėje pasiūlė man nugerti iš jos butelio. Man atsisakius, ji padėjo galvą ant peties, žaismingai palietė vairą. Aš apkabinau ją per pečius, ant šlaunies jutau jos ranką.

Palaukiau, kol mes vėl sustosime, ir pataisiau veidrodėlį taip, kad geriau matyčiau galinę sėdynę. Voenas įkišo nykštį merginai į vaginą, smilių – į išangę, o ji atsilošė atgal, prispaudusi kelius prie pečių, ir mechaniškai rūkė antrąją suktinę.

Jo kairė ranka nusileido ant merginos krūties, bevardžiu ir smiliumi jis suspaudė spenelį tarsi jungiklį ir patraukė aukštyn. Laikydamas merginą šioje stilizuotoje padėtyje, jis ėmė judinti klubus, jos delne smaukydamas savo penį. Jai pabandžius ištraukti jo pirštus iš vaginos, Voenas alkūne nustūmė jos ranką, nė neketindamas pajudinti pirštų. Jis ištiesė kojas, pasisuko ant sėdynės taip, kad klubai remtųsi į jos kraštą. Pasirėmęs kairiąja alkūne, jis toliau trynėsi į merginos ranką, lyg dalyvautų ritualiniame šokyje, skirtame naujausios automobilio markės dizainui, elektronikai, greičiui ir manevringumui.

Šios sekso ir technologijų jungtuvės savo viršūnę pasiekė, kai automobilių srautas pasiskirstė oro uosto sankryžoje ir mes dvidešimties mylių per valandą greičiu pajudėjome šiauriniu keliu.

Voenas ištraukė pirštus iš merginos vaginos ir išangės, pasuko savo klubus ir įkišo jai į vaginą penį. Virš mūsų mirgėjo sankryžos estakada važiuojančių automobilių žibintai. Aš vis dar stebėjau Voeną ir merginą veidrodėlyje, jų kūnai, apšviesti iš paskos važiuojančių automobilių, atsispindėjo ant juodos linkolno bagažinės ir šimtuose jo vidaus apdailos vietų. Chromuotoje peleninėje aš įžvelgiau kairę merginos krūtį su styrančiu speneliu. Blizgančiose lango rėmų juostelėse mačiau iškreiptas ir susidedančias į keistą anatominį derinį Voeno šlaunų ir jos pilvo dalis. Voenas užsikėlė merginą ant savęs, jo penis vėl įslydo į vaginą. Vaizdų, atsispindinčių greičio matuoklyje, laikrodyje ir apsisukimų skaitiklyje, triptiche atrodė, kad jų lytinis aktas vyksta skliautuotuose šių švytinčių skalių urvuose ir jį valdo virpanti greitmačio rodyklė. Išgaubtas prietaisų skydelio paviršius ir stilizuota vairo kolonėlės korpuso skulptūra atspindėjo tuzinus kylančių ir besileidžiančių sėdmenų vaizdų. Aš variau automobilį viaduku penkiasdešimties mylių per valandą greičiu. Voenas išlenkė nugarą ir iškėlė merginą į už mūsų važiuojančių automobilių šviesas. Jos smailios krūtys plykstelėjo chromuotame visu greičiu lekiančio automobilio narve. Stiprūs Voeno dubens judesiai sutapo su tomis akimirkomis, kai mes pravažiuodavome šviestuvus, išdėstytus ant tilto kas šimtą metrų. Artėjant prie kiekvieno iš jų, Voeno klubai prisispausdavo prie merginos, smeigdami penį į jos vaginą, jo rankos skėtė jos sėdmenis, atverdamos išangę automobilį užliejančiai gelsvai šviesai. Mes privažiavome viaduko galą. Nakties ore degė raudonų stabdžių šviesų ugnis, rausvai nudažydama Voeno ir merginos siluetus.

Susikaupęs aš nuvairavau automobilį estakada žemyn, ir mes įsiliejome į eismo srautą. Voenas pakeitė dubens judesių ritmą, pasiguldė merginą ant savęs ir ištiesė jos kojas. Jie gulėjo įstrižai ant galinės sėdynės. Voenas iš pradžių apžiojo jos kairį spenelį, tada dešinįjį, jo pirštas liko jos išangėje ir glostė tiesiąją žarną pravažiuojančių pro šalį automobilių ritmu, jis derino savo judesius su šviesos, kreivai raibuliuojančios ant salono lubų, žaismu. Aš nustūmiau į mano petį atsirėmusią blondinę. Man atrodė, kad galiu kontroliuoti už nugaros vykstančią sueitį, keisdamas automobilio vairavimo būdą. Voenas žaismingai atsiliepdavo į gatvės aplinkos ir kelkraščio kismą. Mums tolstant nuo Londono oro uosto ir vis giliau greitkeliais neriant į miesto gelmes, jo judesių ritmas tapo greitesnis, rankos, laikančios merginos sėdmenis, kilnojo ją aukštyn ir žemyn, lyg biurų dangoraižių kvartalai būtų vis stipriau dirginę kažkokį skanuojantį jo smegenų įrenginį. Senkant orgazmui jis beveik stovėjo, ištiesęs kojas, galva atsirėmęs į galinės sėdynės atlošą, delnais laikydamas savo sėdmenis, kol apžergusi jo klubus mergina stengėsi išlaikyti pusiausvyrą.

Po pusvalandžio aš grįžau prie oro uosto ir pastačiau automobilį šalia daugiaaukštės stovėjimo aikštelės priešais Okeano terminalą. Merginai pagaliau pavyko atsiplėšti nuo Voeno, kuris issekęs gulėjo ant galinės sėdynės. Ji nerangiai susiruošė, vangiai bardamasi su Voenu ir apsnūdusia blondine ant priekinės sėdynės. Voeno sėkla tekėjo jos kairiąja šlaunimi ir varvėjo ant juodo vinilo. Dramblio kaulo spalvos lašeliai ieškojo patogiausio nuolydžio sutekėti į sėdynės griovelį. Aš išlipau iš automobilio ir užmokėjau dviem moterims. Viksėdamos savo tvirtomis strėnomis, jos nutolo neoninėmis šviesomis mirgančių, žmonių pilnų vietų link, o aš dar stovėjau šalia automobilio. Voenas spoksojo į daugiaaukštę automobilių aikštelės uolą, jo žvilgsnis nardė tarp nuožulnių aukštų, tarsi jis bandytų ten perskaityti viską, kas įvyko tarp jo ir tos tamsiaplaukės merginos.

Vėliau man teko matyti, kaip Voenas tiria avarijoje slypinčias galimybes taip pat ramiai ir švelniai, kaip jis tyrė tos jaunos prostitutės kūno ribas. Dažnai matydavau jį palinkusį ties avarijų aukų nuotraukomis, spoksantį į jų apdegusius veidus su šiurpą keliančia užuojauta ir mintyse skaičiuojantį elegantiškiausius jų sužeistų kūnų ir suskilusių langų stiklų bei valdymo įrankių dermių parametrus. Jis mėgdžiodavo šias žaizdas savo vairavimo pozomis, tomis pačiomis beaistrėmis akimis žvelgdamas į jaunas moteris, įsisodintas prie oro uosto. Naudodamasis jų kūnais, jis atkurdavo sudarkytą automobilių avarijų aukų anatomiją – švelniai sulenkdavo jų rankas, prispausdavo kelius prie savo krūtinės ir visada smalsiai stebėdavo jų reakciją.

16

Visas pasaulis pradėjo žydėti žaizdomis. Pro kino studijoje esančio savo biuro langą aš stebėjau Voeną, sėdintį automobilyje pačiame stovėjimo aikštelės centre. Dauguma darbuotojų jau traukė namo, vieną po kito pasiimdami savo automobilius iš stovėjimo vietų aplinkui dulkiną Voeno limuziną. Jis atvažiavo į studiją prieš valandą. Kai Renata jį man parodė, bandžiau nekreipti dėmesio, tačiau, aikštelėje mažėjant automobilių, mano dėmesys po truputį susikaupė ties šiuo vienišu kledaru centre. Per tris dienas, praėjusias po mūsų apsilankymo Kelių tyrimo centre, jis kiekvieną popietę ateidavo į studiją – apsimesdamas norįs pamatyti Sygreivą, tačiau tikrasis jo tikslas buvo priversti mane suorganizuoti jam susitikimą su aktore. Vieną akimirką, susitikęs jį degalinėje Vakarų bulvare, aš sutikau Voenui padėti, puikiai suvokdamas, kad man daugiau nepavyks jo atsikratyti. Dabar jis be jokio vargo galėjo sekioti mane dienų dienas, laukti manęs prie įvažiavimų į oro uostą, degalinių aikštelėse, tarsi aš pats nesąmoningai kaskart būčiau ieškojęs progos susitikti.

Jo buvimas paveikė ir mano vairavimo būdą, aš pajutau, kad iš tikrųjų laukiu, kol pateksiu į antrą avariją, šį kartą Voeno akivaizdoje. Net gigantiški lėktuvai, kylantys iš oro uosto, tapo jaudulio ir erotiškumo, bausmės ir malonumo sistemomis, laukiančiomis savo eilės prisiglausti prie mano kūno. Dėl neaprėpiamų spūsčių greit-keliuose trūko oro ir aš beveik neabejojau, kad visus šiuos automo-bilius ant nutrinto betono surinko pats Voenas, kad tai – kažkokio sudėtingo psichologinio testo dalis.

Renatai išėjus, Voenas išlipo iš automobilio. Aš žvelgiau, kaip jis eina per aikštelę biurų link, ir mąsčiau, kodėl jis pasirinko mane. Mintyse jau regėjau save lekiantį automobiliu į taikinį, kuris buvo arba Voenas, arba kita jo parinkta auka.

Voenas ėjo per tolimesnes biuro sales, dairydamasis į kairėje ir dešinėje ant sienų iškabintas padidintas reklamines radiatorių gro-telių ir priekinio lango fragmentų nuotraukas. Jis mūvėjo tuos pa-čius nudrengtus džinsus, kuriuos buvo nusitraukęs nuo užpakalio, kai mylėjosi mano vairuojamame automobilyje. Ant jo apatinės lūpos atsirado opelė – atvėrė ją, kramtydamas lūpą. Ypač susiža-vėjęs spoksojau į šią miniatiūrinę angą, suvokdamas, kad Voeno seksualinė įtaka man stiprėja; ją ypač sustiprino jo patirta avarija, įamžinta randuose ant veido ir krūtinės.

– Voenai, aš pavargau. Man tenka sutelkti visas jėgas vien tam, kad įeičiau ir išeičiau iš šito biuro, jau nekalbant apie tai, kad tenka vaikytis menkai pažįstamą prodiuserį. Bet kokiu atveju galimybė, kad ji užpildys vieną iš tavo anketų, lygi nuliui.

– Leisk man jai perduoti anketą.

– Žinau, tu tikriausiai rasi būdą ją sužavėti...

Voenas stovėjo atsukęs man nugarą, aplūžusiu iltiniu dantimi kramtydamas žaizdelę. Mano rankos, akivaizdžiai nutolusios nuo kitų kūno dalių ir smegenų, graibstė orą, nesiryždamos apkabinti jį per liemenį. Voenas atsisuko į mane, jo randuotos lūpos, at-suktos pačiu palankiausiu kampu, padrąsinamai šypsojosi, tarsi mes kartu repetuotume jo naują televizijos programą. Jis prabilo trūkčiojančiu, suglumusiu balsu, tarsi paskendusiu hašišo, kurį rūkė, dūmuose.

– Balardai, ji užima pagrindinę vietą visų mano apklaustųjų fantazijose. Mums liko visai nedaug laiko, nors tu ir esi pernelyg užsiėmęs savimi, kad tai suprastum. Man reikia jos atsakymų.

– Voenai, tikimybė, kad ji žus per avariją, yra niekingai maža. Tau reikės ją vaikytis amžinai.

Stovėdamas Voenui už nugaros, aš spoksojau į tarpelį tarp jo sėdmenų, trokšdamas, kad visos parodomosios automobilio buferių ir priekinio lango fragmentų nuotraukos susiformuotų į automobilį, kuriame aš galėčiau paimti jo kūną kniūpsčią, tarsi kokio nors valkataujančio šuns, ir užgrūdinti jo žaizdas šioje nerealizuotų galimybių padangtėje. Įsivaizdavau, kaip radiatorių grotelių dalys ir prietaisų skydeliai susilieja aplink mane ir Voeną, apkabina mus, kai aš atsisegu saugos diržą ir nutraukiu jo džinsus, iškilmingai sujungdamas prasiskverbimą į jo išangę su pačiomis grakščiausiomis galinio buferio linijomis, sutuokdamas savo penį su dosniomis technologijos galimybėmis.

– Voenai...

Jis apžiūrinėjo aktorės, atsišliejusios į automobilį, nuotraukas, tada pasiėmė nuo mano stalo pieštuką ir ėmė štrichuoti aktorės kūno dalis, pažymėdamas jos pažastis ir tarpvietę. Nieko nematydamas jis spoksojo į nuotraukas, pamiršta cigaretė smilko peleninėje. Nuo jo kūno sklido dvisus kvapas – išangės gleivių ir variklio aušinimo skysčio mišinys. Jo pieštukas rėžė vis gilesnes linijas. Nuštrichuotose vietose nuo vis įnirtingesnių pieštuko brėžių atsirado skylutės, trupantis pieštuko grafitas pradūrė kartoninę nuotraukos nugarėlę. Jis žymėjo automobilio interjero dalis, besdamas pieštuką į išsikišančias vairo kolonėlės ir prietaisų skydelio detales.

– Voenai!

Aš uždėjau ranką jam ant peties. Prieš orgazmą jo kūnas virpėjo, palei slėpsnas karatė primenančiu gestu, lyg jis bandytų save sužaloti, slydo kairiojo delno briauna, ji per audinį trynė pritvinkusį penį. Dešine ranka glostė sumaitotas nuotraukas. Remdamasis į mano ranką, Voenas sunkiai išsitiesė. Jis dėbsojo į išniekintas aktorės fotografijas, išmargintas susidūrimo taškais ir sužeidimų zonomis, skirtomis jos mirčiai.

Sumišęs aš nukėliau ranką nuo Voeno peties. Jo tvirtas pilvas margavo randų ornamentais. Ant dešinio šono randai susiformavo į atliejas, tarsi specialiai skirtas mano pirštams, glamonių liejinius, atsiradusius prieš daugelį metų seniai pamirštoje automobilių avarijoje.

Sunkiai rydamas seiles aš parodžiau į randus, penkias įrantas, sugulusias į nelygų apskritimą po įdubusiais šonkauliais. Voenas tylėdamas žvelgė į mane, kol mano pirštai sustojo už kelių colių nuo jo odos. Randų raizgalynė dengė jo krūtinę ir pilvą, o nutrauktas ir kreivai prisiūtas spenelis buvo nuolat sudirgęs.

Vakaro šviesoje mes ėjome automobilių aikštelės link. Palei šiaurinio greitkelio pylimą lyg kraujas mirštančioje arterijoje slinko automobiliai. Tuščioje aikštelėje priešais Voeno linkolną buvo pastatytas patrulinis policijos automobilis ir baltas sportinis Katrinos sedanas. Vienas iš policininkų apžiūrinėjo linkolną, bandydamas ką nors pamatyti pro jo apdulkėjusius langus. Kitas stovėjo šalia Katrinos ir jos kažko klausinėjo.

Policininkas atpažino Voeną ir mostelėjo prieiti. Manydamas, kad jie atėjo apklausti manęs dėl vis didėjančio homoerotinio susidomėjimo Voenu, aš kaltai nusukau žvilgsnį.

Kol policininkas kalbėjosi su Voenu, Katrina priėjo prie manęs.

– Jie nori apklausti Voeną dėl avarijos, įvykusios šalia oro uosto. Dėl kažkokio pėsčiojo – atrodo, jis buvo tyčia suvažinėtas.

– Voeno nedomina pėstieji.

Policininkas grįžo prie savo automobilio, lyg mano pastaba būtų patvirtinusi jo spėliones. Voenas lydėjo juos žvilgsniu, pakėlęs galvą it periskopą, tarsi dairytųsi kažko, esančio aukščiau jų sąmonės lygmens.

– Geriau jį pavežk, – tarė Katrina, mums artėjant prie Voeno. – Aš važiuosiu iš paskos. Kur tavasis?

– Namie. Negalėjau ištvert šito eismo.

– Geriau važiuosiu su jumis, – Katrina įsižiūrėjo į mane, tartum bandytų ką įžvelgti po naro šalmu. – Tu įsitikinęs, kad galėsi sėsti prie vairo?

Laukdamas manęs, Voenas nusprendė apsivilkti ant galinės sėdynės gulėjusius baltus marškinėlius. Jam nusimetus džinsinę striukę, blėstanti šviesa išryškino randus ant krūtinės ir pilvo, baltų įkirtų žvaigždyną, juosiantį jo kūną nuo pažasties iki tarpvietės. Šios vietos, skirtos įsikibti pirštams įmantrių lytinių aktų metu, buvo sukurtos automobilių, sudaužytų specialiai mano būsimiems malonumams, kuriuos patirsiu ant galinių ir priekinių automobilių sėdynių, rafinuotiems sodomijos ir feliacijos aktams, kuriuos atliksiu, slinkdamas nuo vienos mano delnui pritaikytos vietos prie kitos.

17

Mes įstrigome didžiuliame kamštyje. Nuo greitkelio ir Vakarų bulvaro sankryžos iki įvažiavimo ant estakados visos eismo juostos buvo užkimštos automobilių, jų priekiniai stiklai varvėjo tirpstančiais saulės, besileidžiančios virš vakarinių Londono priemiesčių, spinduliais. Ore žioravo gabaritinių žibintų šviesos, nutvieksdamos didžiulį lakuotų kūnų baseiną. Voenas sėdėjo, iškišęs ranką pro keleivio langą. Jis nekantriai pliaukšėjo per dureles, daužė kumščiu automobilio šoną. Dešinėje it žmonių veidų siena stūksojo dviaukštis oro uosto autobusas. Keleiviai languose priminė eiles lavonų, spoksančių iš kolumbariumo nišų. Milžiniška dvidešimtojo amžiaus sinergija, kurios užtektų nuvilkti mūsų planetą į laimingesnės saulės orbitą, buvo švaistoma šiai didžiulei sustingusiai pauzei palaikyti.

Mirkčiodamas žibintais, žemyn vedančia estakados juosta nulėkė policijos ekipažas, melsva besisukanti šviesa ant jo stogo plakė orą it botagas. Virš mūsų, ant kylančios juostos keteros, du policininkai kreipė eismą nuo kelkraščio. Ant kelkraščio sustatyti perspėjamieji ženklai ritmiškai tvinkčiojo: „Pristabdyti... Pristabdyti... Avarija... Avarija...“ Po dešimties minučių, pasiekę rytinį estakados pakraštį, mes apačioje pamatėme avarijos vietą. Automobilių virtinės judėjo pro policijos prožektorių žiedą.

Vakarų prospekto ir rytinio nuo estakados vedančio kelio sankryžoje susidūrė trys automobiliai. Policijos automobilis, dvi greitosios pagalbos mašinos ir techninės pagalbos sunkvežimis apsupo avarijos vietą erdvia užtvara. Gaisrininkai ir policijos technikai dirbo prie automobilių, jų acetileninių degiklių liepsnos atsispindėjo ant durelių ir stogų. Ant šaligatvio rinkosi minia, o ant pėsčiųjų tilto, kertančio Vakarų prospektą, žmonės petys į petį stovėjo atsirėmę į metalinius turėklus. Mažiausias automobiliukas, pakliuvęs į avariją – geltonas itališkas sportinis automobilis, – buvo beveik sutraiškytas juodo limuzino sustiprinta važiuokle, išvažiavusio už skiriamosios juostos. Limuzinas grįžo atgal per betoninę saugumo salelę į savo juostą ir įsirėžė į plieninę kelio rodyklės atramą. Jam sulamdė radiatorių ir dešinį sparną dar prieš tai, kai į limuziną trenkėsi iš Vakarų prospekto į estakadą sukusi taksi. Dėl smūgio kaktomuša į limuzino galą taksi persivertė ir vėl atsistojo ant ratų. Ji buvo visiškai sumaitota, keleivių kabina ir korpusas pakrypo penkiolika laipsnių. Sportinis automobilis gulėjo aukštyn ratais ant skiriamosios juostos. Policininkų ir gaisrininkų komanda vertė jį ant šono, atidengdama du kūnus, vis dar įstrigusius suspaustame salone.

Už taksi gulėjo trys keleiviai, nuo krūtinės iki kojų suvynioti į apklotus. Gydytojai teikė pagalbą vairuotojui – pagyvenusiam vyriškiui. Jis sėdėjo atsirėmęs į galinį savo automobilio buferį, veidas ir drabužiai buvo aptaškyti krauju ir priminė odą, apkrėstą kažkokia neįprasta liga. Limuzino keleiviai vis dar sėdėjo automobilio salone, jų siluetai vos ryškėjo už suskeldėjusio vidinio stiklo.

Avarijos vietą mes pravažiavome slinkdami į priekį automobilių voroje. Katrina pusiau pasislėpė už priekinės sėdynės. Jos akys ramiai žvelgė į stabdant likusias juostas ir krauju išmargintos alyvos kilpas, kurios išraižė įprastą plentą tarsi choreografinė rimto susišaudymo simbolių sistema, pasikėsinimo nužudyti diagrama. Voenas, priešingai, kone išsivertė pro langą, įtempė rankas, tarsi pasiruošęs griebti vieną iš kūnų. Iš kažkokios dėžės ar galinės sėdynės kišenės jis jau spėjo išsitraukti fotoaparatą ir pasikabinti jį ant kaklo. Jo akys lakstė po tris sudaužytus automobilius, lyg jis bandytų nufotografuoti kiekvieną detalę savo raumenimis, baltais burną supančiais randų dryželiais, įsiminti kiekvieną sulankstytą buferį ir sulaužytą kaulą greitų grimasų ir netikėtų veido išraiškų seka. Vos ne pirmą kartą nuo mūsų susitikimo jis buvo visiškai ramus.

Priešine eismo juosta kaukdama leidosi trečioji greitoji pagalba. Policijos motociklininkas įsiterpė priešais mus, mosteldamas man, kad praleisčiau greitąją, ir eismas sulėtėjo iki minimumo. Aš sustabdžiau automobilį ir išjungiau variklį, per Katrinos petį žvelgdamas į niūrią sceną. Už dešimties jardų stovėjo sudaužytas limuzinas, jauno vairuotojo kūnas vis dar gulėjo šalimais. Policininkas spoksojo į kraują, lyg našlės vualis dengiantį jo veidą ir plaukus. Trys mechanikai laužtuvais ir žnyplėmis bandė atidaryti galines limuzino duris. Jie nupjovė užsikirtusį durelių mechanizmą ir atplėšė dureles, atidengdami salone sėdinčius keleivius.

Du keleiviai – rausvaskruostis penktą dešimtį peržengęs vyriškis juodu paltu ir jaunesnė moteris blyškia, anemiška oda, vis dar įsitempę sėdėjo ant galinės sėdynės. Jų galvos buvo atkištos į priekį, abu taip spoksojo į policininką ir šimtus žioplių, lyg būtų karališkoji pora priėmimo metu. Policininkas nutraukė kelioninį pledą, dengusį jų liemenis ir kojas. Šis trumpas judesys, atidengęs nuogas jaunos moters kojas ir plačiai išžergtas pagyvenusio vyriškio pėdas, tučtuojau pakeitė visą vaizdą. Moters sijonas apsivyniojęs juosmenį, šlaunys praskėstos, lyg ji tyčia rodytų savo gaktą. Jos kairė ranka gniaužė odinę lango rankeną, balta pirštinė nusidažiusi jos mažų pirštų krauju. Ji blyškiai šyptelėjo policininkui, lyg pusiau nusirengusi karalienė, raginanti dvariškį paliesti intymias jos kūno vietas. Jos bendrakeleivio per visą ilgį atlapotas paltas atidengė juodas kelnes ir rankų darbo batus. Jo dešinė šlaunis buvo ištempta, lyg šokių mokytojo, demonstruojančio slystantį tango judesį. Pasisukęs į moterį ir bandydamas paliesti ją ranka, jis nuslydo nuo sėdynės, keliais atsitrenkdamas į kelioninių krepšių ir stiklo duženų krūvą.

Eismas vyko toliau. Aš užvedžiau variklį ir pajudėjau į priekį. Voenas pakėlė fotoaparatą prie akies ir nuleido, kai greitosios pagalbos sanitaras bandė išmušti jį iš rankų. Virš galvos praplaukė pėsčiųjų tiltas. Pusiau išlindęs iš automobilio Voenas spoksojo į virtines kojų, prisispaudusių prie metalinės užtvaros, o tada atidarė dureles ir išnėrė.

Kol aš bandžiau pastatyti linkolną prie kelkraščio, jis, laviruodamas tarp automobilių, bėgo atgal, pėsčiųjų tilto link.

Mes nusekėme paskui Voeną į avarijos vietą. Šimtai veidų, prisispaudusių prie žemyn estakada judančių automobilių langų. Žiopliai net trimis eilėmis stovėjo ant šaligatvių ir skiriamosios juostos, grūdosi prie vielinės tvoros, skiriančios greitkelį nuo greta esančio prekybos centro ir gyvenamųjų namų kvartalo. Policija prarado bet kokią viltį išsklaidyti milžinišką minią. Mechanikų būrys dirbo prie sumaitoto sportinio automobilio, plėšdamas metalinį stogą, suplotą virš keleivių galvų. Buvusius taksi keleivius neštuvais gabeno į greitosios pagalbos automobilį. Negyvas limuzino vairuotojas gulėjo uždengtas antklode, o gydytojas ir du sanitarai bandė įlipti į galinę limuzino dalį.

Apžvelgiau minią. Tarp stovinčiųjų buvo gana daug vaikų, kai kuriuos tėvai užsikėlė ant pečių, kad geriau matytų. Besisukantys policijos švyturėliai blykčiojo ant žiopsančiųjų veidų. Mes užlipome ant pylimo šalia vielinės tvoros. Nė vienas iš žioplių neatrodė sunerimęs. Jie žvelgė į įvykio vietą su ramiu prestižinio grynakraujų žirgų aukciono lankytojo susidomėjimu. Iš jų atsipalaidavusių kūnų padėčių buvo justi, kad jie supranta smulkiausias įvykio detales, tarsi visi būtų suvokę tikrąją limuzino radiatoriaus grotelių poslinkio, taksi kabinos iškreipimų, suskeldėjusio priekinio stiklo raštų reikšmę.

Tarp mūsų su Katrina draugiškai įsibrovė trylikos metų berniukas kaubojaus kostiumu. Stebėdamas, kaip paskutinį taksi keleivį kelia ant neštuvų, jis nė akimirkai nenustojo čiaumoti kramtomosios gumos. Policininkas su šluota barstė kalkes ant krauju išterlioto asfalto šalia sportinio automobilio. Atsargiais brūkštelėjimais, tarsi iš šių sužalojimų galėtų sudaryti sudėtingą žmogišką lygtį, jis šlavė tamsėjančius krešulius prie skiriamosios linijos krašto.

Iš prekybos centro atėjo daugiau žioplių. Jie pralindo pro skylę vielinėje tvoroje. Visi kartu spoksojome, kaip du limuzino keleiviai buvo iškelti pro persikreipusias limuzino duris. Mūsų mintyse knibždėjo pačios ryškiausios erotinės fantazijos, įsivaizduojami lytiniai aktai, labai padoriai ir rūpestingai atliekami tarp krauju aptaškytų šios jaunos automobilyje gulinčios moters strėnų; žiūrovai vienas po kito judėtų į priekį, įlįstų į persikreipusį limuzino vidų, įkištų savo penį į jos vaginą, sėdami begalę ateičių, pražysiančių iš šios smurto ir aistros santuokos.

Aplink mane, visame Vakarų prospekte, abiejuose estakados išvažiavimuose buvo susidaręs didžiulis avarijos sukeltas eismo kamštis. Stovėdamas pačiame šio paralyžiuoto uragano centre, jaučiausi visiškai laisvai, tarsi įkyri be galo besidauginančių automobilių manija pagaliau būtų mane palikusi.

Voenas, priešingai, atrodo, visiškai prarado susidomėjimą avarija. Laikydamas fotoaparatą virš galvos, jis stūmėsi per žiūrovų minią, judančią tiltu žemyn. Katrina stebėjo, kaip jis peršoka paskutinius šešis laiptelius ir nardo tarp pavargusios policijos. Jos akivaizdus susidomėjimas Voenu, jos akys, vengiančios manųjų, tačiau nuolat sekančios randuotą jo veidą, manęs nei stebino, nei trikdė. Aš jau pajutau, kad mūsų trijulė dar turi išgyventi didžiąją šios avarijos dalį, įausti jos besiplečiančias galimybes į mūsų gyvenimą. Mąsčiau apie randus ant savo kūno ir apie Voeno randus, už kurių laikiausi per pir-muosius mūsų apsikabinimus, apie randus išgyvenusiųjų avariją šalia mūsų, visų jų seksualinių ateities galimybių sąlyčio taškus.

Kaukdama nuvažiavo paskutinė greitoji. Žiopliai grįžo į savo au-tomobilius arba užlipo pylimu, kur tvoroje žiojėjo plyšys. Pro mus praėjo paauglė džinsiniu kostiumėliu, jos vaikinas buvo ją apkabinęs per liemenį. Jis spaudė savo plaštaką prie jos dešinės krūties, krum-pliais glostydamas spenelį. Jie įlipo į bagį, apkaišytą vėliavėlėmis ir išmargintą geltonais dažais, ir nuvažiavo, pamišėliškai spaudydami garso signalą. Stambus vyriškis sunkvežimio vairuotojo švarku padėjo žmonai užsiropšti pylimu, ranka prilaikydamas ją už sė-dmenų. Visa apimantis seksualumas tvyrojo ore, tarsi mes būtume bendruomenės nariai, besiskirstantys po pamokslo, raginančio mus pagarbinti savo seksualumą su draugais ir nepažįstamaisiais, ir mes išnykome naktyje, bandydami pakartoti šias kruvinas mūsų stebėtas mišias su pačiais šlykščiausiais partneriais.

Katrina atsirėmė į linkolno galą, gakta prisispaudusi prie chro-muotos radiatoriaus briaunos. Ji buvo nusisukusi nuo manęs.

– Ar tu vairuosi? Tau viskas gerai, ar ne?

Aš stovėjau išskėtęs kojas ir sukryžiavęs ant krūtinės rankas, kvėpdamas šviesomis mirgantį orą. Vėl jutau savo žaizdas, mau-džiančias ant krūtinės ir kelių. Apčiupinėjau savo randus – tuos švelnius sužalojimus, dabar skleidžiančius rafinuotą šiltą skausmą. Mano kūnas švytėjo šiuose taškuose, kaip prisikėlusio žmogaus, besimaudančio užgijusių žaizdų, kurios tapo jo mirties priežastimi, šilumoje.

Atsiklaupiau šalia priekinio linkolno rato. Sparnas ir rato apvadas buvo ištepti juoda žele, tokie patys dryžiai margino ir rato diską. Pirštais paliečiau tas lipnias liekanas. Ant buferio ryškėjo gilus įlenkimas, tokia pati žymė liko ant mano automobilio prieš dvejus metus, kai partrenkiau per kelią bėgantį vokiečių aviganį. Sustojau už šimto jardų, grįžau ir pamačiau dvi moksleives, prie mirusio šuns vemiančias į rieškučias.

Parodžiau į kraujo drūžes:

– Turbūt partrenkei šunį... Policija gali konfiskuoti automobilį, kol kraujas nebus ištirtas.

Voenas atsiklaupė šalia ir apžiūrėjo dėmes, reikšmingai linkčiodamas:

– Tu teisus, Balardai... Čia, netoli oro uosto, yra naktinė automobilių plovykla.

Jis atidarė man dureles, įdėmiose akyse nebuvo matyti jokio priešiškumo, tarsi jį būtų nuraminusi ir atpalaidavusi ką tik matyta avarija. Atsisėdau prie vairo ir laukiau, kol jis apeis automobilį ir atsisės šalia, tačiau jis atsidarė galines dureles ir įsėdo šalia Katrinos.

Mums pajudėjus, fotoaparatas atsidūrė ant priekinės sėdynės. Jo nematomi sidabriniai prisiminimai apie skausmą ir susijaudinimą sunkėsi į tamsią juostelę, kol man už nugaros patys jautriausi gleivėti Katrinos audiniai tyliai varvino savo stimuliuojamuosius chemikalus.

Mes važiavome į vakarus, oro uosto kryptimi. Stebėjau Katriną galinio vaizdo veidrodėlyje. Ji sėdėjo galinės sėdynės viduryje, alkūnėmis atsirėmusi į kelius, ir pro mano petį žvelgė į lekiančias greitkelio šviesas. Kai sustojęs prie pirmo šviesoforo į ją pažvelgiau, ji raminamai man nusišypsojo. Voenas sėdėjo šalia kaip nuobodžiaujantis gangsteris, jo kairysis kelis lietėsi prie jos šlaunies. Išsiblaškęs ranka jis trynė tarpkojį. Jo žvilgsnis slydo jos sprandu, skruosto ir peties kontūrais. Man staiga ėmė rodytis visiškai logiška, kad Katriną turėtų traukti Voenas, kurio maniakiškas stilius apėmė viską, kas ją labiausiai nervino. Ta daugialypė mūsų matyta avarija palietė tas pačias jos smegenų stygas, kaip ir manųjų.

Šalia šiaurės vakarų įvažiavimo į oro uostą aš pasukau automobilių serviso link. Šiame pusiasalyje tarp oro uosto tvoros ir įvažiavimo kelių į Vakarų prospektą glaudėsi automobilių nuomos kontorų, visą naktį dirbančių kavinių, oro krovinius gabenančių bendrovių ir degalinių stovykla. Vakaro ore mirgėjo navigacinės lėktuvų šviesos ir techninės priežiūros automobilių žiburiai, tūkstančiai žibintų, plaukiančių Vakarų prospektu ir estakada. Ryški šviesa, krintanti ant Katrinos veido, pavertė ją šio vidurvasario košmaro dalimi – tikra įelektrinto oro būtybe.

Prie automatinės plovyklos rikiavosi automobilių eilė. Tamsoje trys nailoniniai volai dunksėjo į plovykloje stovinčio taksi stogą ir šonus, vanduo ir muilas tryško iš metalinio rėmo. Už penkiasdešimties jardų, stiklinėje kabinoje, stovinčioje šalia nenaudojamų degalų siurblių, skaitydami komiksus ir klausydamiesi radijo sėdėjo du naktiniai budėtojai. Pasislėpę salono viduje, po langais srūvančiu muilinu vandeniu, pamainą baigęs taksistas ir jo žmona atrodė kaip du neįžiūrimi paslaptingi manekenai.

Automobilis priekyje pavažiavo keletą jardų. Jo stabdžių žibintai nušvietė linkolno vidų, užpylė mus rausvu švytėjimu. Veidrodėlyje mačiau ant galinės sėdynės atsilošusią Katriną. Ji petimi buvo atsirėmusi į Voeno petį. Jos akys žvelgė į Voeno krūtinę, į randus, supančius sužalotus spenelius, mirguliuojančius švieselėmis.

Pajudinau linkolną keletą pėdų į priekį. Už manęs tvyrojo tamsos ir tylos luitas, sutirštinta visata. Voeno ranka nuslinko sėdynės paviršiumi. Aš apsimečiau, kad reikia ištraukti radijo anteną. Avarija po estakada, beveik tiksliai atvirkščiai simetriška manajai, ir volų dunksėjimas nulėmė mano elgesį. Naujo smurto galimybė, dar labiau jaudinanti tuo, kad jis labiau palies mano protą nei nervus, atsispindėjo iškreiptame chromuoto lango apvado plieno blizgesyje, įlenktoje linkolno gaubto plokštėje. Aš mąsčiau apie buvusias Katrinos išdavystes, ryšius, kuriuos piešdavo mano vaizduotė, bet kurių niekada nebuvau stebėjęs.

Budėtojas išėjo iš būdelės ir pasuko prie cigarečių automato šalia tepalų keityklos. Jo atspindys ant drėgno asfalto liejosi su keliu važiuojančių automobilių šviesomis. Iš metalinio rėmo vanduo plūdo ant automobilio, stovinčio priešais mus. Muilinas srautas žliaugė gaubtu ir priekiniu stiklu, drėgnas švytėjimas slėpė dvi stiuardeses ir stiuardą.

Atsisukęs pamačiau, kad dešinioji mano žmonos krūtis guli išgaubtame Voeno delne.

* * *

Susikaupęs ties prietaisais, įvariau automobilį į plovyklą. Nuo nejudrių šepečių priešais mane varvėjo paskutiniai skysčio lašai. Nuleidau langą ir ėmiau kišenėse raustis monetų. Putlus Katrinos krūties pusrutulis veržėsi iš Voeno delno, spenelis buvo suspaustas tarp jo pirštų, tarsi ketintų pamaitinti būrį trokštančių vyrų ir galybę sekretorių lesbiečių burnų. Jis nykščio pagalvėle švelniai glostė spenelį, atrodė, lyg glostytų daugybę įsivaizduojamų spenelių, mažyčių žavių karpučių. Katrina žvelgė į savo krūtį pilnomis pasigėrėjimo akimis, užburta jos nepakartojamos geometrijos, tarsi matytų ją pirmą kartą.

Plovykloje, be mūsų, daugiau nieko nebuvo. Aplinkui plytinti aikštelė ištuštėjo. Katrina atsigulė ant nugaros, praskėtė kojas, atsuko burną Voenui, jis palietė ją lūpomis, leisdamas paeiliui pabučiuoti kiekvieną randą. Jutau, kad šis aktas buvo ritualas, neturintis nė lašo įprasto seksualumo, stilizuotas dviejų kūnų sąlytis, iš naujo prisimenantis judėjimo ir susidūrimo pojūčius. Voeno kūno padėtys, jo rankų judesiai, kuriais jis kilnojo mano žmoną ant sėdynės, pakeldamas jos kelį taip, kad jo kūnas atsidurtų tarp jos šlaunų, priminė man sudėtingos mašinos operatorių, gimnastinį baletą, šlovinančius naująsias technologijas. Jo rankos lėtai tyrė vidines jos šlaunų puses, suėmė jos sėdmenis ir pakėlė apnuogintą gaktą prie burnos, tačiau prie jos neprisilietė. Jis dėliojo jos kūną įvairiomis pozomis, atsargiai tyrinėjo jos galūnių ir raumenų kodus. Katrina, regis, tik iš dalies reagavo į Voeną, laikė jo penį kairėje rankoje, jos pirštai slydo jo išangės link, tarsi ji santykiautų be jokių jausmų. Ji dešine ranka palietė jo krūtinę ir pečius, čiuopė randų raštus ant odos, išsikišimus, kuriuos avarijos sukūrė specialiai šiam lytiniam aktui.

Pasigirdo šūksnis. Laikydamas rankoje cigaretę, drėgnoje migloje stovėjo vienas budėtojų, modamas man lyg krovininio lėktuvo vadas. Aš sumečiau monetas į plyšį ir uždariau langą. Ant automobilio plūstelėjo vanduo, langai aptemo ir mes atsidūrėme uždarame salone, apšviestame tik prietaisų skydelio. Šioje melsvoje oloje įstrižai galinės sėdynės gulėjo Voenas. Katrina klūpėjo virš jo užkeltu iki liemens sijonu, laikydama jo penį abiem rankomis, jos burna buvo per colį nuo jo burnos. Tolimų žibintų šviesa, lūžtanti muilino skysčio, tekančio automobilio langais, burbuluose, apšvietė juos liuminescenciniu švytėjimu; atrodė, kad dvi pusiau metalinės būtybės iš tolimos ateities mylisi chromuotame buduare. Įsijungė plovyklės variklis. Šepečiai subildėjo į gaubtą ir riaumodami pajudėjo priekinio stiklo link, suplakdami muiliną skystį į putų viesulą. Ant stiklų sproginėjo tūkstančiai burbulų. Šepečiams daužantis į stogą ir dureles, Voenas ėmė kelti savo dubenį, beveik atplėšdamas sėdmenis nuo sėdynės. Katrina negrabiais judesiais pakėlė savo vaginą virš jo penio. Vis augančiame šepečių staugsme jie ėmė siūbuoti. Voenas laikė jos krūtis savo delnuose, lyg bandydamas sulieti jas į vieną rutulį. Jam pasiekus orgazmą, Katrinos aikčiojimus paskandino plovyklės riaumojimas.

Plovyklė grįžo į pradinę poziciją. Mašina išsijungė. Priešais švarų priekinį stiklą bejėgiškai kabojo šepečiai. Vandens ir valiklio likučiai tamsoje tekėjo kanalizacijos angomis. Išsekęs Voenas gulėjo siurbdamas orą pro randuotas lūpas ir sumišęs spoksojo į Katriną. Jis žvelgė, kaip ji pakelia nutirpusią kairę šlaunį, tai buvo judesys, kurį mačiau ją darant šimtus kartų. Ant jos krūtų liko Voeno pirštų žymės, panašios į avarijos paliktas mėlynes. Man norėjosi pasilenkti ir paglostyti jas, paskatinti juos abu naujai sueičiai, įtaikyti jos spenelius Voenui į burną, įvesti jo penį kryptimi, nurodyta įstrižo sėdynės rašto, vedančio tiesiai jai į tarpkojį. Norėjau jos krūtų ir dubens kontūrus suderinti su automobilio stogo kontūrais, šiuo lytiniu aktu palaiminti jų kūnų santuoką su maloningomis technologijomis.

Atidariau langą ir įmečiau į automatą dar monetų. Vandeniui liejantis ant langų stiklų, Voenas ir mano žmona vėl ėmė mylėtis. Žvelgdama apsėstosios akimis, aistringa ir susivėlusi Katrina įsikibo jam į pečius. Ji nubraukė nuo skruostų savo šviesius plaukus. Voenas paguldė ją ant galinės sėdynės, praskėtė šlaunis ir ėmė glostyti jos gaktą, smiliumi ieškodamas išangės. Jis palinko virš jos ir paguldė ją bei atsigulė pats sužaloto diplomato ir su juo sumaitotame limuzino salone sėdėjusios jaunos moters pozomis. Jis kilstelėjo ją, įspraudė penį į vaginą, viena ranka prilaikydamas ją po kairiąja pažastimi, kitą pakišęs po sėdmenimis – taip sanitarai laikė jaunąją moterį, kai kėlė ją iš limuzino.

Šepečiams dunksint virš mūsų galvų, Katrina pažvelgė į mane visiškai skaidriomis akimis. Jos žvilgsnyje šmėkštelėjo ironija ir meilė, ji priėmė tą seksualinę logiką, kurią mes abu suvokėme ir kuriai save pasmerkėme. Aš tyliai sėdėjau ant priekinės sėdynės, o automobilio stogu ir durimis it balti nėriniai slydo putos. Už nugaros gulėjo mano žmona, ant jos pilvo ir krūtų blizgėjo Voeno sperma. Šepečiai beldė ir trankė automobilį. Vandens ir muilo tirpalo srovės plovė jo dabar jau nesuteptą kūną. Kiekvienąkart, kai plovyklė baigdavo ciklą, aš praverdavau langą ir įmesdavau dar monetų. Du budėtojai žiūrėdavo į mus iš stiklinės būdelės, kai tik plovyklė sustodavo. Nakties ore sklaidėsi tyli jų radijo aparato muzika.

Katrina riktelėjo, tai buvo skausmo šūksnis, nutildytas stiprios Voeno rankos, užgniaužusios jai burną. Jis atsilošė sėdynėje, jo kojos gulėjo ant jos klubų, plekšnodamas ją viena ranka, kol kita bandė į vaginą įgrūsti savo suglebusį penį. Jo veide sustingo pyktis ir kančia. Prakaitas varvėjo jo pečiais ir krūtine ir gėrėsi į kelnių juosmenį. Nuo jo smūgių ant Katrinos rankų ir šlaunų liko raudonos dėmės. Išsekinta Voeno, Katrina laikėsi už sėdynės virš jo galvos. Jo peniui tuščiai pabandžius sudrėkinti jos iškamuotą vaginą, Voenas susmuko ant sėdynės. Jam jau buvo neįdomi inkščianti jauna moteris, bandanti užsitempti drabužius. Jo randuotos rankos čiuopė nudėvėtą sėdynių paviršių, sperma brėždamos paslaptingą diagramą: astrologinį ženklą ar kelių sankryžą.

Mums išvažiuojant iš plovyklos, nuo šepečių į tamsą lašėjo vanduo. Į šlapią betoną sunkėsi didžiulė baltų putų bala.

18

Greitkelis buvo tuščias. Pirmą kartą nuo tada, kai mane išrašė iš ligoninės, gatvės buvo tuščios, tarsi sekinantys Katrinos ir Voeno lytiniai aktai amžiams būtų išviję visus automobilius. Važiavau mūsų namų Dreitono parke link, gatvės žibintai nušvietė miegančio ant galinės automobilio sėdynės Voeno veidą; jo randuotos lūpos buvo pravertos tarsi vaiko ir prispaustos prie prakaito prisigėrusio paviršiaus. Iš jo veido dingo visas agresyvumas, tarsi sėkla, kurią jis išliejo į Katrinos vaginą, būtų nusinešusi su savimi ir nejaukumo jausmą.

Katrina pasilenkė į priekį, išsilaisvindama iš Voeno glėbio. Ji palietė mano petį namų jaukumu dvelkiančiu judesiu. Veidrodėlyje mačiau įbrėžimus ant jos skruosto ir kaklo, mėlynes ant lūpų, iškreipiančias jos nervingą šypseną. Šie sužalojimai tik pabrėžė jos tikrąjį grožį.

Mums privažiavus namus, Voenas vis dar miegojo. Stovėjome su Katrina tamsoje šalia nepriekaištingai švaraus automobilio, jo poliruotas gaubtas švytėjo it juodas skydas. Norėdamas nuraminti Katriną, prilaikiau ją už rankos, kita paėmiau jos krepšį. Mums žvyruotu keliuku einant įėjimo link, nuo galinės sėdynės atsikėlė Voenas. Nė nepažvelgęs į mus, jis netvirtai įsliuogė prie vairo. Tikėjausi, kad nuvažiuodamas jis užriaumos varikliu, tačiau Voenas užvedė automobilį ir tyliai dingo.

Lifte stipriai prisiglaudžiau prie Katrinos, mylėdamas ją už jos gautus smūgius. Vėliau tą naktį aš ištyrinėjau jos kūną ir mėlynes, švelniai liesdamas jas lūpomis ir skruostais, žvelgiau į nutrintą, paraudusią jos pilvo odą – agresyvią galingo Voeno stoto paliktą geometriją. Mano penis slydo įdrėskimų simboliais, kuriuos jo rankos ir burna paliko ant jos odos. Aš palinkau viršjos, įstrižai gulinčios ant lovos, jos mažos pėdos ilsėjosi ant mano pagalvės, ranka gulėjo ant dešinės krūties. Ji stebėjo mane ramiu mylinčiu žvilgsniu, o aš liečiau jos kūną penio galvute, žymėdamas įsivaizduojamos avarijos kontaktinius taškus, ant jos kūno paliktus Voeno.

Kitą rytą, mėgaudamasis eismu aplinkui, važiavau į studiją Šepertone. Pagaliau galėjau džiaugtis lekiančių automobilių virtinėmis. Elegantišku, dinamišku, į betoninę skulptūrą panašiu greitkeliu judėjo spalvoti tūkstančių automobilių kiautai, lyg svetingi kokios nors naujos Arkadijos kentaurai.

Voenas jau laukė manęs studijos aikštelėje, jo linkolnas stovėjo mano aikštelėje. Randai ant jo pilvo bolavo ryto šviesoje, vos už kelių colių nuo mano ant palangės gulinčių pirštų. Balta išdžiūvusių vaginos gleivių aureolė supo jo džinsų užtrauktuką, žymėdama tą vietą, kur mano žmonos vagina spaudėsi prie jo tarpvietės.

Voenas atidarė man linkolno vairuotojo dureles. Atsisėdęs prie vairo suvokiau, kad dabar trokštu praleisti su juo kuo daugiau laiko. Jis sėdėjo žvelgdamas man į veidą, padėjęs ranką ant sėdynės atlošo už mano galvos, jo didžiulis, džinsuose slypintis penis buvo nutaikytas į mane. Dabar jutau Voenui tikrą prieraišumą, sumišusį su pavydu, meile ir pasididžiavimu. Norėjau liesti jo kūną, mums važiuojant glostyti jo šlaunį, kaip glosčiau Katrinos šlaunį mums pirmąkart susitikus, norėjau apkabinti jį per klubus, kai mes ėjome automobilio link.

Man pasukus raktelį, Voenas tarė:

– Sygreivas dingo.

– Kur? Jie čia jau baigė filmuoti avarijos epizodus.

– Dievai žino. Važinėjasi kažkur su peruku ir leopardo kailio apsiaustu. Jis gali pradėti persekioti Katriną.

Aš apleidau reikalus biure. Tą pirmąją dieną mes valandų valandas važinėjomės greitkeliais, ieškodami Sygreivo, ultratrumpųjų bangų dažniu per Voeno radiją klausydamiesi policijos ir greitosios pagalbos pašnekesių. Voenas klausėsi pranešimų apie avarijas ir tikrino ant galinės sėdynės sudėtus savo fotoaparatus.

Kai virš paskutinių vakaro spūsčių nusileido sutemos, Voenas galutinai išsibudino. Aš nuvežiau jį namo. Jo butas buvo erdvi vieno kambario studija viršutiniame namo aukšte su langais į upę, tekančią šiauriau Šepertono. Kambarys buvo užverstas nurašyta elektronine aparatūra – elektrinės rašomosios mašinėlės, kompiuterio terminalas, keletas osciloskopų, juostiniai magnetofonai, kino kameros. Elektros kabelio ritės gulėjo ant nepaklotos lovos. Lentynos ant sienų buvo prikimštos mokslinių vadovėlių, ne visų techninių žurnalų rinkinių, pigių mokslinės fantastikos knygų ir perspausdintų jo paties darbų. Baldams savo bute Voenas neteikė jokios reikšmės – chromuotos ir plastikinės kėdės atrodė taip, lyg atsitiktinai būtų nugriebtos iš priemiesčio prekybos centro vitrinos.

Bute tvyrojo akivaizdaus Voeno narcisizmo dvasia – studijos, vonios ir virtuvės sienos buvo apkabinėtos jo paties nuotraukomis, kadrais iš jo televizijos programų, blyškiomis fotografijomis iš laikraščių, polaroidinėmis nuotraukomis, kuriose jis nufotografuotas filmavimo aikštelėje, grimerinėje, temperamentingai besikalbantis su prodiuseriu. Visos šios nuotraukos buvo darytos prieš Voeno avariją, tarsi po to buvę metai tapo savotiška tylos zona, tuo laikotarpiu, kai jo siekiai peržengė tuštybės ribas. Tačiau vaikščiodamas po butą, maudydamasis duše ar persirenginėdamas Voenas droviai rūpinosi tais blunkančiais atvaizdais – tiesino užsirietusius kampučius, tarsi bijodamas, kad jei nuotraukoms kas nors nutiks, jo nepakartojama asmenybė nustos egzistavusi.

Tą vakarą važinėjantis greitkeliais pastebėjau Voeno pastangas prisiklijuoti etiketę, įtvirtinti tapatumą, pažymint jį kokiu nors išoriniu įvykiu. Klausydamasis radijo, prisidegęs pirmą savo cigaretę, jis tysojo priekinėje keleivio sėdynėje šalia manęs. Gaivus jo ką tik kruopščiai nuprausto kūno kvapas susimaišė iš pradžių su hašišo aromatu, o vėliau su aštriu sėklos, sudrėkinusios jo džinsų šakumą, mums pravažiuojant pirmosios avarijos vietą, kvapu. Kol skersgatvių labirintu vairavau automobilį į kitą avarijos vietą, mano galvoje plaukiojo deganti derva, ir aš mąsčiau apie Voeno kūną jo buto vonioje, apie masyvią penio žarną, kyšančią iš raumeningo šakumo.

Randai ant jo kelių ir šlaunų buvo tarsi miniatiūriniai laipteliai, pašėlusių malonumų kopėčių skersiniai.

Išaušus rytui mes buvome pamatę jau tris avarijas. Mano aptemusiose smegenyse sukosi mintis, kad mes vis dar bandome surasti Sygreivą, tačiau aš žinojau, kad Voenas prarado susidomėjimą kaskadininku. Po trečiosios avarijos, kai policijos ir greitosios pagalbos automobiliai išvažiavo ir paskutinis naktinis sunkvežimio vairuotojas grįžo į savo kabiną, Voenas baigė rūkyti cigaretę ir svyruodamas patraukė slidžiu nuo alyvos betonu greitkelio užtvaros link. Sunkus pagyvenusios dantų gydytojos vairuojamas sedanas nuvertė užtvarą ir nukrito žemyn, į apleistą sklypą apačioje. Aš nusekiau paskui Voeną ir sustojęs prie pramuštos baliustrados žvelgiau, kaip jis lipa žemyn prie jau pastatyto ant ratų automobilio. Voenas braidžiojo aplink automobilį po kelius siekiančią žolę ir pasilenkęs pakėlė policijos išmestą kreidos gabalėlį. Delnais jis lietė aštrius išmušto stiklo ir sulamdyto metalo kraštus, sumaitotą stogą ir variklio gaubtą. Trumpam stabtelėjęs, jis nusišlapino tamsoje ant vis dar šiltų radiatoriaus grotelių, į nakties orą pakilo garų debesėlis. Jis nužvelgė savo pusiau pasistojusį penį, atsigręžė ir sumišęs pažvelgė į mane, tarsi prašydamas manęs identifikuoti tą keistą organą. Jis padėjo penį ant dešinio priekinio automobilio sparno ir kreida ant juodo paviršiaus apvedė jo kontūrus. Įdėmiai apžiūrėjęs piešinį, Voenas liko juo patenkintas ir ėmė eiti aplink automobilį, penio kontūrais žymėdamas dureles ir išdužusius langus, bagažinę ir buferį. Laikydamas penį rankoje ir saugodamas jį nuo aštraus metalo, Voenas užlipo ant priekinės sėdynės ir pradėjo piešti savo penio kontūrus ant prietaisų skydelio ir atramos rankoms, žymėdamas erotinį avarijos ar lytinio akto centrą, švęsdamas savo genitalijų ir kaukole sudaužyto prietaisų skydelio, ant kurio mirė pagyvenusi dantų gydytoja, sąjungą. Voeno manymu, net smulkiausiose apdailos detalėse slypėjo organinė gyvybė, tiek pat reikšminga, kaip ir galūnių ar žmonių, važiuojančių transporto priemonėmis, jutimo organų gyvybė. Jis liepdavo man sustoti ties šviesoforais ir keletą minučių žiūrėti į pastatyto automobilio valytuvo bei priekinio lango dermę. Amerikietiškų sedanų ir europietiškų sportinių automobilių kėbulų apybraižos, jų siluetų ir funkcijų tarpusavio priklausomybė džiugino Voeną. Mes galėdavome pusę valandos važiuoti paskui naują biuiką ar ferarį, kol Voenas tyrinėdavo kiekvieną kėbulo apdailos detalę ar galinių sparnų papuošimus. Keletą kartų buvome sustabdyti policijos, nes automobilių aikštelėje trynėmės aplink lambordžinį, priklausantį pasiturinčiam Šepertono baro savininkui. Voenas kaip apsėstas fotografavo tikslų langų atramų nuolydžio kampą, priekinio žibinto išsikišimą, virš rato tviskantį sparno metalą. Jį viliojo ir radiatoriaus grotelių chromuotos apdailos detalės, nerūdijančio plieno kėbulo apačios papuošimai, valytuvų forma, bagažinės užraktai ir durelių rankenos.

Jis bastydavosi po Vakarų bulvaro prekybos centrų automobilių aikšteles taip, lyg vaikščiotų po paplūdimį sužavėtas aukštų korvetės, vairuojamos jaunos namų šeimininkės, buferių. Priekiniai ir galiniai aptakai sukeldavo Voenui transą, tarsi jis vėl matytų kažkada seniai regėtą rojaus paukštę. Dažnai, mums važiuojant greitkeliu, Voenas mosteldavo man į gretimą juostą, pasukdamas savo linkolną taip, kad pravažiuojančio pro šalį automobilio stogo linija blyksteldavo priešais mus saulės šviesoje, leisdama mėgautis nepriekaištingomis automobilio galo proporcijomis. Savo elgesiu Voenas nuolat pabrėždavo automobilio apdailos detalių ir organinių jo kūno dalių tapatumą. Mums važiuojant paskui konceptualų itališką automobilį patrumpintais sparnais, Voeno, glostančio tarp mūsų sėdinčią oro uosto kekšę, gestai tapdavo stilizuoti ir perdėti. Jis glumindavo nuobodžiaujančią moterį savo trūkčiojančia šneka ir pečių judesiais.

Suderintos linkolno salono ir kitų automobilių, kuriuos jis įprato kas vakarą valandėlei pasivogti, spalvos tiksliai atitiko odos spalvą

147

jaunų kekšių, kurias Voenas nurenginėdavo, kol aš vairuodavau tamsiais greitkeliais. Jų nuogos šlaunys paryškindavo pastelines plastikinių prietaisų skydelių spalvas; gilūs garsiakalbių kūgiai atkartodavo smailių krūtų formas.

Automobilio interjere aš taip pat regėjau ištisą apšviestų moters kūno dalių kaleidoskopą. Ši riešų ir alkūnių, šlaunų ir gaktų antologija sudarydavo nuolat besikeičiančias kūno ir automobilio dalių dermes. Kartą mes su Voenu važiavome greitkeliu palei pietinę oro uosto tvorą. Aš atsargiai vairavau automobilį pačia išgaubto kelio viršūne, kartu su Voenu gėrėdamasis apnuoginta krūtimi moksleivės, kurią jis įsisodino prie studijos. Abu mes pastebėjome tobulą šios baltos, išlaisvintos iš palaidinukės kriaušės formą, atsidūrusią išgaubtu keliu judančiame automobilyje.

Voeno kūnas, jo bjauroka oda ir blizgus blyškumas įgavo žiauraus, sužaloto grožio, derančio su kruopščiai sužymėtu greitkelio kraštovaizdžiu. Betoninės atramos po Vakarų prospekto viaduku, penkiasdešimties jardų intervalais išdėstyti kampuoti luitai į vieną sujungdavo randuotą Voeno kūną.

Daugelį savaičių, kol buvau asmeninis Voeno vairuotojas ir duodavau jam pinigų susimokėti prostitutėms bei pusiau profesionalioms kekšėms, kurios trynėsi aplink oro uostą ir jame esančius viešbučius, aš stebėjau, kaip Voenas tyrinėja visas baltas sekso ir automobilio dėmes. Voenui automobilis buvo geriausia ir vienintelė tikra seksualinių žaidimų vieta. Su kiekviena iš tų moterų Voenas ištyrinėdavo vis naują lytinį aktą, įkišdamas savo penį į vaginą, išangę ar burną, tarsi derindamasis prie kelio, kuriuo važiuodavome, eismo intensyvumo ir mano vairavimo stiliaus.

Tuo pat metu man atrodė, kad savo mintyse Voenas atrinkdavo tam tikrus lytinius aktus ir pozas ateičiai, ypatingam lytiniam aktui automobilyje. Aiškus lygybės ženklas, kurį jis dėjo tarp sekso ir judėjimo greitkeliu estetikos, turėjo kažką bendro su jį apsėdusia

Elizabetės Teilor manija. Ar jis įsivaizdavo lytinį aktą su ja, besibaigiantį mirtimi per didžiulę avariją? Rytais ir ankstyvomis popietėmis jis sekdavo paskui ją iš viešbučio į kino studiją. Aš neprasitariau jam, kad derybos dėl aktorės filmavimosi mūsų reklamoje žlugo. Kol mes laukėme jos pasirodant, Voeno rankos nervingai čiupinėjo mažus galinės sėdynės nelygumus, tarsi jo kūnas šiais greitais judesiais nesąmoningai mėgdžiotų šimtus su ja atliekamų lytinių aktų. Aš supratau, kad jis gana padrika forma bando surinkti konceptualaus lytinio akto, kuriame dalyvautų aktorė, ir maršruto, kuriuo ji važiuos iš studijos Šepertone, elementus. Jo nevikrūs judesiai, groteskiškai pro langą iškišta ranka, tarsi jis ruoštųsi nusukti ir mesti tą kruviną galūnę po iš paskos važiuojančio automobilio ratais, iškreiptos lūpos, kai jomis apžiodavo spenelį, atrodė lyg siaubingos jo smegenyse vykstančios dramos repeticija, lytinis aktas, tapsiantis mirtino susidūrimo orgazmu.

Per šias paskutines savaites Voenui buvo lemta pažymėti savo seksualumu slaptą maršrutą, sperma nubrėžti būsimos dramos koridorius. Mes pamažu artėjome prie atviros konfrontacijos su policija. Vieną vakarą, piko valandą, Voenas mostelėjo man, kad nevažiuočiau degant žaliai šviesai, tyčia užkirsdamas kelią už mūsų stovinčių automobilių virtinei. Blykčiodamas šviesomis prie mūsų privažiavo policijos automobilis, policininkas, pažvelgęs į persikreipusį Voeną, nusprendė, kad mes buvome pakliuvę į rimtą avariją. Pridengdamas šalia jo esančios merginos, paauglės prekybos centro kasininkės, veidą, Voenas atsigulė sužeisto ambasadoriaus, kurį mes matėme traukiamą iš limuzino, poza. Paskutinę akimirką, policininkui išlipus iš automobilio, aš, nepaisydamas Voeno protestų, šoviau į priekį.

Pavargęs nuo linkolno, Voenas ėmė nuvarinėti kitus automobilius iš oro uosto stovėjimo aikštelės. Jis naudojosi visrakčių rinkiniu, duotu jam Veros Sygreiv. Mes atidarinėdavome ir uždarinėdavome šitų ilgam pastatytų vežėčių, kurių savininkai buvo išvykę į Paryžių, Amsterdamą ar Štutgartą, dureles. Vakarais, kai mums jų nebereikėdavo, grąžindavome automobilius į vietas. Tuo metu aš jau nebegalėjau sutelkti jėgų ir sustabdyti Voeno. Apsėstas jo tvirto kūno taip pat, kaip jis buvo apsėstas automobilių kūnų, aš tapau įkaitu viliojančios smurto ir susijaudinimo sistemos, sudarytos iš greitkelių ir eismo spūsčių, mūsų nuvarytų automobilių ir trykštančio Voeno seksualumo.

Šiomis paskutinėmis su Voenu praleistomis dienomis aš pastebėjau, kad moterų, kurias Voenas kas vakarą įsisodindavo, plaukų spalva ir figūra vis labiau ėmė priminti aktorę. Tamsiaplaukė moksleivė priminė Elizabetę Teilor jaunystėje, o kitos moterys pakaitomis įkūnijo ją jau vyresnę.

19

Voenas, Gabrielė ir aš lankėmės automobilių šou Erlz Korte. Ramus ir galantiškas Voenas vedė Gabrielę per minią, iškėlęs savo randuotą veidą taip, tarsi šios žaizdos būtų užuojautos kupinas atsakas į sužalotas Gabrielės kojas. Gabrielė krypavo tarp šimtų ant pakylų stovinčių automobilių, jų chromuoti ir lakuoti kūnai blizgėjo lyg paradiniai arkangelų kariuomenės šarvai. Besisukinėjanti po salę Gabrielė, rodos, jautė didžiulį malonumą, matydama šias nepriekaištingas mašinas, savo randuotomis rankomis liesdama jų dažytą paviršių, trindamasi į jas savo sužalotais klubais, lyg nušiurusi katė. Prie mersedesų paviljono ji išprovokavo jauną pardavėją pakviesti ją apžiūrėti baltą sportinį automobilį ir mėgavosi jo sumišimu, kai jis padėjo įkelti jos protezų sukaustytas kojas į saloną. Žvelgdamas į tai, Voenas švilptelėjo iš susižavėjimo.

Mes ėjome pro paviljonus ir besisukančius automobilius, Gabrielė stypčiojo ir kulniavo tarp automobilių verslo administratorių ir parodos mergaičių. Aš negalėjau atplėšti akių nuo kabių ant jos kojų, nuo jos deformuotų šlaunų ir kelių, jos švytruojančio kairio peties, tų kūno dalių, kurios, rodės, viliojo ant besisukančių pakylų stovinčius naujutėlaičius automobilius, kvietė juos konfrontuoti su jos žaizdomis. Kai ji įlipo į mažą japoniško sedano vidų, jos blankios akys matė mano nesužalotą kūną toje pačioje blausioje šviesoje, kaip ir tuos geometriškai tobulus automobilius. Voenas vedė ją nuo vieno automobilio prie kito, padėdamas užsiropšti ant pakylų, įlipti į keistas dizaino skyriaus sukurtas kabinas, ypatingus konceptualius automobilius, nuomai skirtus limuzinus, ant kurių galinių sėdynių ji atsisėsdavo tarsi nedraugiška šios hiperaktyvios technokratijos karalienė.

– Pasivaikščiok su Gabriele, Balardai, – drąsino mane Voenas. – Paimk ją už rankos. Ji to norėtų.

Voenas ragino mane užimti jo vietą. Netrukus jis paspruko ta dingstimi, kad pastebėjo Sygreivą, o aš padėjau Gabrielei apžiūrėti keletą neįgaliesiems skirtų automobilių. Pernelyg formaliai kalbėdamasis su parodos darbuotojais, aš teiravausi apie papildomų valdymo prietaisų įdiegimą, stabdžių pedalus ir ranka perjungiamą sankabą. Visą tą laiką spoksojau į Gabrielės kūno dalis, atsispindinčias košmariškuose neįgaliesiems skirtų automobilių įtaisuose. Stebėjau, kaip viena į kitą trinasi jos šlaunys, žvelgiau į jos krūties kauburėlį virš nugaros įtvaro diržų, kampuotus dubens kaulus, į jos delną, tvirtai sugniaužusį mano ranką. Žaisdama chromuota sankabos rankena ji žvelgdavo į mane pro priekinį stiklą, tarsi tikėdamasi, kad įvyks kas nors nepadoraus.

Atrodo, Gabrielė nepyko ant Voeno už tai, kad jis leido man pirmam mylėtis su ja ant galinės jos automobiliuko sėdynės, apsuptam keistų neįgaliesiems skirtų valdymo rankenų. Man tyrinėjant jos kūną, braunantis tarp jos apatinių drabužių segtukų ir dirželių, neįprastos jos dubens ir kojų plokštumos nuviliojo mane į keistą akligatvį, odos ir raumenų anomaliją. Kiekviena jos deformacija tapo galinga mėgavimosi naujuoju smurtu metafora. Jos kūnas, kampuoti jo kontūrai, netikėti gleivinių ir plaukų, šlapimo pūslės raumens ir erektilaus audinio deriniai buvo tarsi turtinga iškreiptų galimybių antologija. Kai sėdėjau su ja tamsiame jos automobilio salone šalia oro uosto tvoros, baltuojanti mano rankoje krūtis, nušviesta kylančių lėktuvų, jos spenelio švelnumas ir forma tarsi prievartavo mano pirštus. Mūsų lytiniai aktai buvo tarsi sunkūs išbandymai.

Pakeliui į oro uostą aš stebėjau, kaip ji bando elgtis su neįprastais valdymo įrankiais. Automobilio rankenų ir jungiklių sistema buvo specialiai sukurta jai, jos pirmam lytiniam aktui. Po dvidešimties minučių, kai ją apkabinau, jos kūno kvapas sumišo su naujų garstyčių spalvos automobilio apmušalų kvapu. Mes sustojome pie talpyklų, kad matytume, kaip leidžiasi lėktuvai. Krūtine prisispaudęs prie jos kairio peties, aš mačiau specialią prie jos kūno prigludusią sėdynę, pamuštus odos pusrutulius, užpildančius kabių ir diržų įdubas. Mano ranka slystelėjo jos dešiniąja krūtimi ir iš karto susidūrė su keista automobilio vidaus sandara. Iš po vairo styrojo netikėtos valdymo rankenos. Iš plieninės ašies, pritvirtintos prie vairo kolonėlės, kyšojo chromuotų pedalų puokštė. Grindyse esanti pavarų perjungimo svirtis kilo įstrižai, palikdama vietos vertikaliai chromuoto metalo ataugai, nulietai pagal vairuotojo plaštakos išorės formą.

Gabrielė atsilošė, įpratusi prie šių naujų parametrų, prie paslaugaus technologijų glėbio. Jos protingos akys sekė delną, čiuopiantį mano veidą ir smakrą, tarsi ieškodamos trūkstamos chromu blizgančios armatūros. Ji pakėlė savo kairę koją taip, kad jos įtvaras remtųsi į mano kelį. Vidinėje jos šlaunies pusėje diržai buvo palikę gilias įrantas, paraudusios odos dryžius, sagčių ir sąsagų atspaudus. Kai atsegiau kairės kojos įtvarą ir perbraukiau pirštais gilų sagties paliktą įspaudą, pavytusi oda atrodė karšta ir švelni, jaudino labiau nei vaginos audinys. Ši tvirkinanti įduba, embrioninėje vystymosi stadijoje esantis lytiniam organui skirtas įvalkalas priminė man smulkias mano kūno žaizdeles, vis dar išsaugojusias prietaisų skydelio ir svirčių apybraižas. Aš čiupinėjau įdubas ant jos šlaunies, griovelį po krūtimi ties dešine pažastimi, nugaros protezo pėdsaką, raudoną žymę vidinėje jos dešinio dilbio pusėje. Tai buvo jos naujų lytinių organų užuomazgos, naujų seksualinių galimybių formos, kurias dar reikės sukurti šimtais bandomųjų automobilių avarijų. Savo dešinės plaštakos, slenkančios plyšio tarp jos sėdmenų link, oda jutau nepažįstamus sėdynės kontūrus. Automobilio vidus skendėjo prieblandoje, slėpdamas Gabrielės veidą, ir aš vengiau prisiliesti prie atsilošusios sėdynėje moters lūpų. Kilstelėjau jos krūtį savo delne ir ėmiau bučiuoti šaltą spenelį, nuo kurio sklido saldus kvapas – mano gleivių ir kažkokio salstelėjusio vaistų mišinio aromatas. Mano liežuvis stabtelėjo ties brinkstančiu speneliu ir vėl ėmė neskubriai tirti krūtį. Man kažkodėl atrodė, kad tai turėtų būti nuimama lateksinė struktūra, kurią kiekvieną rytą reikėdavo prisegti kartu su nugaros sąvarža ir kojų atramomis, ir pasijutau lengvai nusivylęs, nes liežuvis lietė kūną. Gabrielė rėmėsi į mano petį, jos smilius braukė vidinę mano apatinės lūpos pusę, nagas lietė dantis. Apnuogintas jos kūno dalis jungė diržai ir sagtys. Aš glamonėjau jos kaulėtą gaktą, kedenau retus plaukelius. Žvelgdamas, kaip pasyviai ji sėdi mano glėbyje vos judindama lūpas, suvokiau, kad ši nuobodžiaujanti sužalota moteris manė, jog nominalios lytinio akto jungtys – krūtis ir penis, išangė ir vagina, spenelis ir klitoris – nesugebės mūsų sužadinti.

Blėstančioje dienos šviesoje iš rytų į vakarus nukreiptomis juostomis virš mūsų galvų kilo lėktuvai. Ore tvyrojo malonus medicininis

Gabrielės kūno kvapas, atmieštas garstyčias primenančio odos apmušalo dvelksmu. Chromuotos svirtys kilo iš šešėlių lyg sidabrinės gyvačių galvos – metalinio sapno fauna. Gabrielė nuvarvino man ant spenelio lašelį seilių ir dabar mechaniškai glostė jį, apsimesdama, kad vyksta nominalus lytinis aktas. Atsakydamas aš glosčiau jos gaktą, apčiuopiau neveiklų jos klitorio gumbelį. Mus supančios sidabrinės svirtys atrodė tarsi technologijų ir kinestezijos pasiekimų įrodymas. Gabrielės ranka slinko mano krūtine. Jos pirštai surado mažus randelius po mano raktikauliu, viršutinės ciferblato dalies įspaudą. Kai ji ėmė tirti šią pusapvalę įdubą lūpomis, aš pirmąkart pajutau, kaip į penį siūbteli kraujas. Ji ištraukė jį iš kelnių, o tada ėmėsi tyrinėti kitus mano krūtinės ir pilvo randus, kiekvieną jų perbraukdama liežuvio galiuku. Paeiliui, vieną po kito, ji palaimino ženklus, kuriuos mano kūne įrašė automobilio prietaisų skydelis ir valdymo svirtys. Jai glostant mano penį, aš perkėliau ranką nuo gaktos ant jos šlaunų randų, čiupinėjau švelnius takelius, nubrėžtus rankiniu stabdžiu automobilio, kuriame ji patyrė avariją. Dešine ranka apkabinau ją per pečius, pirštais liečiau diržų paliktus atspaudus, pusapvalių ir stačiakampių formų sąlyčio taškus. Aš tyrinėjau randus ant jos šlaunų ir rankų, čiupiau žaizdas po kairiąja krūtimi, o ji lietė manuosius. Mes kartu šifravome šiuos dviejų avarijų pažadinto seksualumo kodus.

Mano pirmasis orgazmas išliejo sėklą į gilų randą ant jos šlaunies, sudrėkino tą raukšlėtą kanalą. Ji delnu surinko sėklą ir ištrynė ja sidabru spindinčią sankabos rankeną. Burna buvau prisisiurbęs prie rando po jos kairiąja krūtimi, laižiau pjautuvo pavidalo įdubimą. Gabrielė pasisuko ant sėdynės taip, kad aš galėčiau apžiūrėti randus ant jos dešinio klubo. Pirmąkart nejutau nė mažiausio gailesčio šiai suluošintai moteriai, o kartu su ja mėgavausi abstrakčiomis angomis, kurias jos kūne paliko automobilio detalės. Per keletą kitų dienų aš patyriau orgazmą randuose po jos krūtimi ir kairiojoje pažastyje, žaizdose ant jos kaklo ir pečių, visose šiose lytinėse kiaurymėse, susidūrimo metu sukurtose skylančio priekinio stiklo ir prietaisų skalių, savo peniu sutuokdamas automobilį, kuriame aš patyriau avariją, su automobiliu, kuriame vos nežuvo Gabrielė.

Svajojau apie kitus susidūrimus, kurie išplėstų šį angų rinkinį, susietų jas su daugiau automobilio technikos elementų, su dar sudėtingesnėmis ateities technologijomis. Kokias žaizdas galėtų sukurti erotinės nematomų termobranduolinio reaktoriaus kamerų technologijos arba baltomis plytelėmis išklotos valdymo salės, paslaptingi kompiuterio schemų scenarijai? Apkabinęs Gabrielę, įsivaizduodavau – taip, kaip mane mokė Voenas, – avarijas, į kurias būtų įtrauktos garsenybės ir gražuolės, žaizdas, kurios skatina erotines fantazijas, neįtikėtinus lytinius aktus, aukštinančius neįsivaizduojamų technologijų galimybes. Šiose fantazijose aš pagaliau mintyse galėjau išvysti visas mirtis ir sužalojimus, kurių visada bijojau. Įsivaizdavau savo žmoną, sužalotą stipriame susidūrime, jos veidas ir burna sumaitoti, o tarpvietėje vairo kolonėle atverta nauja, viliojanti anga, ne vagina ir nc išangė, anga, verta apgaubti kuo didesniu švelnumu. Įsivaizdavau kino aktorių ir televizijos veikėjų sužalojimus – jų kūnai pražystų dešimtimis papildomų angų, lytinio susiliejimo su auditorija taškų, sukurtų besimėtančio į šalis automobilio. Įsivaizdavau savo motinos kūną skirtingais jos gyvenimo laikotarpiais, sužalotą avarijose, apdovanotą ypač keistomis ir išradingomis angomis tam, kad mūsų incestas taptų intelektualiu aktu ir leistų man pagaliau susitaikyti su jos apkabinimais ir pozomis. Įsivaizdavau patenkintus pedofilus, išsinuomojusius deformuotus avarijose sužalotų vaikų kūnus, glostančius ir drėkinančius jų žaizdas savo randuotais lyties organais. Mačiau ir senus pederastus, kaišiojančius savo liežuvius į netikras kolostomines nepilnamečių išanges. Visa, kas susiję su Katrina, man tuo metu atrodė kažko, iki begalybės išplečiančio jos kūno ir asmenybės galimybes, modeliu. Kai ji nuoga žengdavo vonios grindimis, prasibraudavo pro mane, žvelgdama nervingai ir išsiblaškiusi; kai ji šalia manęs rytais masturbuodavosi lovoje, simetriškai išskėtusi kojas, pirštai juda gaktoje, tarsi voliotų kokį mažą gašlumo snarglelį; kai ji purkšdavo dezodorantu pažastis, tas švelnias paslaptingus pasaulius slepiančias duobutes; kai ji eidavo su manimi prie automobilio, pirštais įsikibusi man į petį, – visi šie veiksmai ir emocijos buvo šifrai, ieškantys prasmės tarp kampuotų, chromu padengtų mūsų sąmonės baldų. Avarija, kurioje ji žūtų, taptų įvykiu, padėsiančiu iššifruoti joje slypinčius kodus. Kai gulėdavau lovoje šalia Katrinos, mano ranka dažnai nuslysdavo į plyšį tarp sėdmenų, aš gniauždavau ir minkydavau tuos baltus pusrutulius, tuos mėsos krešulius, slepiančius visų sapnų ir masinių žudynių programas.

Apie Katrinos mirtį ėmiau mąstyti daug racionaliau, bandydamas mintyse sukurti jai dar prašmatnesnę mirtį, nei Voenas sukūrė Elizabetei Teilor. Šios fantazijos tapo mūsų švelnių pokalbių važinėjantis greitkeliu dalimi.

20

Tada aš jau buvau tvirtai įsitikinęs, kad jei aktorė ir nežus per avariją, Voenas vis tiek bus jai paruošęs visas galimybes. Iš šimtų mylių ir lytinių aktų Voenas rinkosi tam tikrus reikalingus elementus: Vakarų prospekto viaduko ruožą, patikrintą mano avarija ir Helenos Remington vyro žūtimi, pažymėtą oraliniu seksu su septyniolikmete moksleive; kairį amerikietiško limuzino sparną, palaimintą Katrinos rankos, spaudžiančios kairiųjų durelių rėmą ir pažymėtą paburkusiu vidutinio amžiaus prostitutės speneliu; pačią aktorę, lipančią iš automobilio ir suklumpančią pusiau praviro lango fone, jos grimasą įamžino Voeno kino kamera; greitėjančių automobilių fragmentus, mirksinčius šviesoforus, siūbuojančias krūtis, skirtingas kelio dangas, klitorius, švelniai suspaustus nykščiu ir smiliumi, tarsi augalų pavyzdžius, tūkstančius jam važinėjantis stilizuotų veiksmų ir pozų, – visa tai kaupėsi Voeno smegenyse ir buvo paruošta panaudoti bet kokiam tuo metu jo kuriamam nužudymo įrankiui. Voenas nuolat manęs klausinėjo apie aktorės lytinį gyvenimą, apie kurį aš nieko nežinojau, ragindamas mane įkinkyti Katriną į jau neegzistuojančių kino žurnalų paiešką. Dauguma jo lytinių aktų atspindėjo tai, kaip, jo manymu, savo automobilyje santykiavo aktorė.

Kad ir kaip ten būtų, Voenas sukūrė įsivaizduojamų lytinių aktų automobilyje modelius ištisai įžymybių armijai – politikams, Nobelio premijos laureatams, pasaulinio garso sportininkams, astronautams ir nusikaltėliams; lygiai taip pat jis sugalvojo jiems ir mirtis. Mums vaikštant po oro uosto stovėjimo aikštelę ir ieškant, kokį automobilį pasiskolinus, Voenas egzaminuodavo mane, kokiais būdais Merilina Monro ar Ly Harvis Osvaldas galėtų mylėtis savo automobiliuose. Armstrongas, Vorholas, Rakelė Velč... Jų mėgstami automobiliai ir modeliai, jų pozos ir mėgstamos erogeninės zonos, Europos ir Šiaurės Amerikos greitkeliai bei autostrados, kuriais jie važinėjo, jų kūnai, praturtinti bekraščio seksualumo, meilės, švelnumo ir erotiškumo. ·

„...kaip manai, Monro ar, tarkim, Osvaldas masturbuodavosi kaire ar dešine ranka? O prietaisų skydeliai? Ar orgazmą lengviau pasiekti su įtaisytais nišoje ar išsikišusiais ciferblatais? Lako spalva, priekinis stiklas – tai svarbūs faktoriai. Garbo ir Dytrich – čia reikalingas gerontologinis požiūris. Mažų mažiausiai du Kenedžiai ypatingai susiję su automobiliais..." Pabaigoje jis visada imdavo save parodijuoti.

Tačiau pastaruoju metu Voeno sudaužytų automobilių manija tapo vis labiau nesveika. Jo susitelkimas ties kino aktore ir seksumirtimi, kurią jis jai sukūrė, tik stiprino jo nusivylimą, kad taip laukiama mirtis niekaip neateina. Užuot važinėjęsi greitkeliu, mes sėdėjome apleistoje automobilių aikštelėje už mano namų Dreitono parke ir stebėjome, kaip blėstančioje šviesoje virš drėgno žvyro sūkuriuoja platanų lapai. Voenas valandų valandas per radiją klausėsi policijos ir greitosios dažnių, virpėdamas visu savo ilgu kūnu, kai pasilenkdavo nukratyti pelenų į perpildytą peleninę, prikimštą suktinių nuorūkų ir senų higieninių servetėlių. Apimtas rūpesčio, aš norėjau glostyti jo randuotas šlaunis ir pilvą, pasiūlyti jam savo kūne automobilio paliktus randus vietoj tų įsivaizduojamų žaizdų, kurių jis troško aktorei.

Avarija, kurios labiausiai bijojau, – po Voeno mirties, kuri mano mintyse jau buvo beišsipildanti realybė, – nutiko po trijų dienų Harlingtono kelyje. Kai policijos dažniu nuskambėjo pirmieji neaiškūs pranešimai apie sunkius kino aktorės Elizabetės Teilor sužalojimus, aš jau žinojau, kieno žūties liudininkais mes tapsime.

Voenas kantriai sėdėjo šalia manęs, o aš su linkolnu spraudžiausi į vakarus, į avarijos vietą. Jis abejingai spoksojo į abipus kelio išsirikiavusius baltus plastiko fabriko ir padangų sandėlių fasadus. Policijos dažniu Voenas klausėsi trijų automobilių susidūrimo smulkmenų, vis didindamas garsą, tarsi norėdamas išgirsti paskutinius patvirtinimo žodžius kaip galingą *crescendo*.

Po pusvalandžio mes privažiavome avarijos vietą Harlingtone ir pastatėme automobilį ant žole apaugusio kelkraščio po viaduku. Trys automobiliai susidūrė pačiame greitkelių sankryžos viduryje. Pirmos dvi mašinos – pagal užsakymą pagamintas sportinis automobilis stiklo pluošto korpusu ir sidabrinis dvivietis mersedesas – susidūrė stačiu kampu; joms nuplėšė ratus ir sugrūdo variklių skyrius. Į stiklo pluošto sportinio automobilio, tikros šeštojo dešimtmečio gaubtų ir peleko pavidalo paviršių antologijos, galą įsirėžė sedanas su valstybiniais numeriais. Sukrėstai, bet nesužeistai jaunai vairuotojai žalia uniforma padėjo išlipti iš automobilio, kurio gaubtas buvo įsirausęs į sportinio automobilio galą. Aplink sumaitotą fiuzeliažą, lyg netikę audinių pavyzdžiai dizainerio studijoje, mėtėsi plastiko lūženos.

Sportinio automobilio vairuotojas gulėjo kabinoje, du gaisrininkai ir policininkas bandė ištraukti jį iš po įlenkto prietaisų skydelio. Moteriškas leopardinis apsiaustas, kurį jis vilkėjo, buvo atlapotas, sutraiškyta krūtinė apnuoginta, tačiau jo šviesūs platininiai plaukai tvarkingai suklostyti po nailoniniu tinkleliu. Ant gretimos sėdynės tarsi padvėsusi katė gulėjo juodas perukas. Siauras ir išsekęs Sygreivo veidas buvo apibiręs priekinio stiklo duženomis, tarsi jo kūnas jau būtų susikristalizavęs, pasitraukęs iš šios nejaukios išmatavimų dermės į daug gražesnę visatą.

Vos už penkių ar šešių pėdų nuo jo, išilgai sėdynės po suskilusiu priekiniu stiklu, gulėjo sidabrinio dviviečio mersedeso vairuotoja. Žioplių minia grūdosi aplink du automobilius, beveik versdama iš kojų greitosios sanitarus, bandančius iškelti moterį iš sulankstytos kabinos. Aš nugirdau jos vardą iš pro šalį besispraudžiančio pledais nešino policininko. Ji kažkada buvo televizijos laidų vedėja, jos karjeros klestėjimo laikai jau buvo praėję, tačiau retkarčiais ji dar vesdavo viktorinas ir naktines pokalbių laidas. Kai ją kilstelėjo, atpažinau jos veidą – dabar išblyškusį ir išsekusį tarsi senės. Nuo smakro tįso sukrešėjusio kraujo nėriniai, primenantys tamsų seilinuką. Ją užkėlus ant neštuvų, žiopliai, užleidę kelią prie greitosios automobilio, pagarbiai spoksojo į jos šlaunų ir pilvo traumas.

Kažkas pastūmė dvi šaliais apsigobusias ir tvido paltais vilkinčias moteris. Ištiesęs rankas pro jas brovėsi Voenas. Jo akys klaidžiojo. Jis sugriebė vieną iš neštuvų rankenų, kurią jau laikė sanitaras, ir pajudėjo greitosios link. Moterį įkėlė į automobilį, ji gaudė kvapą pro kraujo plutelę ant nosies. Aš vos nepakviečiau policijos – žvelgdamas, kaip susijaudinęs Voenas palinksta virš gulinčios moters, beveik patikėjau, kad jis ruošiasi išsitraukti penį ir pravalyti jos pilną kraujo burną. Pamatę paklaikusį Voeną, sanitarai nusprendė, kad jis gali būti giminaitis, ir pasitraukė, tačiau Voeną atpažinęs policininkas pastūmė jį delnu į krūtinę ir sušuko nešdintis.

Nekreipdamas dėmesio į policininką, Voenas sukiojosi prie užtrenktų durelių, o tada, akimirkai praradęs kantrybę, staiga apsisuko ir ėmė spraustis per minią. Jis prasibrovė iki sumaitoto stiklo pluošto sportinio automobilio ir beprasmiškai įsistebeilijo į Sygreivo kūną, aprengtą paradiniais stiklo duženų šarvais, mirusio matadoro blizgučių kostiumu. Jo ranka sugniaužė lango atramą.

Sutrikęs ir sukrėstas kaskadininko mirties ir aktorės drabužių skiaučių, besimėtančių aplink automobilį, vaizdo, – jos buvo iš anksto suplanuoto susidūrimo atributai, – aš nusekiau Voeną per žioplių minią. Jis abejingai slankiojo aplink sidabrinį mersedesą, nenuleisdamas akių nuo kraujo dėmėmis išmargintos sėdynės ir prietaisų skydelio, apžiūrėdamas kiekvieną šlamšto, atsiradusio po susidūrimo, gabalėlį. Jo rankos judėjo ore, žymėdamos vidinių susidūrimų trajektorijas automobilyje, į kurį įsirėžė Sygreivas, mechanines antrinio nežymios televizijos darbuotojos ir prietaisų skydelio susidūrimo akimirkas.

Vėliau supratau, kas labiausiai sutrikdė Voeną. Ne Sygreivo mirtis, o tai, kad šiuo susidūrimu Sygreivas, vis dar vilkėdamas Elizabetės Teilor drabužius ir užsimaukšlinęs peruką, užbėgo už akių tikrai mirčiai, kurią Voenas saugojo sau. Po šios avarijos jo mintyse aktorė jau buvo mirusi. Dabar Voenui liko tik formaliai parinkti laiką ir vietą bei angas jos kūne, skirtas santuokai su juo, santuokai, kuri jau buvo atšvęsta prie kruvino Sygreivo automobilio altoriaus.

Mes grįžome prie linkolno. Voenas atidarė keleivio dureles, žvelgdamas taip, tarsi būtų pirmą kartą mane aiškiai pamatęs.

– Ešfordo ligoninė, – mostelėjo. – Kai jie ištrauks Sygreivą, nuveš jį ten.

– Voenai... – aš bandžiau sugalvoti žodžius, kurie jį nuramintų, norėjau paliesti jo šlaunį, prispausti savo kairės rankos krumplius prie jo lūpų. – Tu turi pasakyti Verai.

– Kam? – jo akys tučtuojau praskaidrėjo. – Vera jau viską žino.

Jis ištraukė iš kišenės suskretusį šilkinio šaliko keturkampį, atsargiai ištiesė ant sėdynės tarp mūsų. Viduryje gulėjo trikampis krauju išteptos pilkos odos skutas, džiūstantis kraujas blizgėjo ryškiu raudoniu. Tarsi atlikdamas eksperimentą, Voenas palietė kraują pirštų galiukais, pakėlė prie burnos ir lyžtelėjo. Jis išpjovė šį gabalėlį iš priekinės mersedeso sėdynės, ten, kur kraujas iš sužeisto pilvo nutekėjo tarp moters kojų.

Voenas tarsi apkerėtas žvelgė į atplaišą, baksnodamas dygsniuotą plastikinę siūlę, kertančią trikampį nuo viršūnės. Ji gulėjo tarp mūsų tarsi šventa relikvija, rankos ar blauzdikaulio fragmentas. Voenui ši odos skiautelė, tokia nuostabi ir gniaužianti širdį, lyg dėmės ant šventos drobulės, slėpė savyje visas magiškąsias ir gydomąsias šiuolaikinio greitkelių kankinio galias. Šie neįkainojami kvadratiniai coliai buvo prispausti prie mirštančios moters vaginos, sutepti krauju, pražydusiu ant jos sužalotos lytinės angos.

Laukiau Voeno prie ligoninės įėjimo. Nekreipdamas dėmesio į praeinančio sanitaro šauksmus, jis nubėgo į greitosios pagalbos skyrių. Aš sėdėjau automobilyje už vartų, svarstydamas, ar ne čia Voenas laukė su kamera, kai atvežė mano sužalotą kūną. Šią akimirką sužeista moteris greičiausiai merdėjo, jos kraujospūdis krito, į organus plūdo necirkuliuojantis skystis, tūkstančiai sustingusių arterinių klapanų užtvenkė jos kraujotakos upes. Įsivaizdavau ją gulinčią ant metalinės lovos reanimacijos palatoje, jos kruvinas veidas ir sutraiškyta nosis atrodo lyg nepadori Helovino kaukė, skirta iniciacijai į savo mirtį. Įsivaizdavau prietaisus, įrašančius krentančią jos išangės ir vaginos temperatūrą, gęstančius nervinių funkcijų parodymus, paskutines mirštančių smegenų bangas.

Šaligatviu prie automobilio artėjo policininkas, akivaizdžiai atpažinęs linkolną. Pamatęs prie vairo mane, jis praėjo pro šalį, tačiau akimirką pasimėgavau tuo, kad mane supainiojo su Voenu, ir policininko akyse spėjusiais šmėkštelti nusikaltimų ir smurto vaizdiniais. Aš pagalvojau apie sudaužytus automobilius avarijos vietoje, apie Sygreivą, mirštantį paskutinės savo LSD kelionės metu. Per susidūrimą su šiuo pamišusiu kaskadininku televizijos aktorė atšventė savo paskutinį pasirodymą, sutuokdama savo kūną su stilizuotais prietaisų skydelio ir priekinio stiklo kontūrais, o elegantišką laikyseną – su negailestinga traiškomų atramų ir pertvarų sąjunga. Įsivaizdavau sulėtintai nufilmuotą susidūrimą, panašų į tuos, kuriuos mes matėme Kelių tyrimo laboratorijoje. Mačiau, kaip aktorė susiduria su prietaisų skydeliu, kaip nuo krūtinės ląstos su sunkiomis krūtimis linksta vairo kolonėlė; įsivaizdavau jos liesas rankas, pažįstamas iš šimtų TV žaidimų, nardančias tarp skustuvo aštrumo peleninės nuoplaišų ir rankenėlių kekių; mačiau jos savimi patenkintą veidą, idealizuotą stambiuose planuose, trimis ketvirčiais atsuktą profilį, apšviestą labiausiai gražinančia ir ryškiausia šviesa, trenkiantis į viršutinį vairo kraštą; regėjau traiškomą jos nosies pertvarą, tai, kaip viršutiniai kandžiai sulenda į dantenas ir praduria minkštą gomurį. Ją sužalojusios ir nužudžiusios technologijos susidurdamos pačios ją karūnavo, pašlovino jos nepakartojamas galūnes ir veido bruožus, gestus ir odos atspalvius. Kiekvienas žioplys iš avarijos vietos išsineš žiaurios šios moters transformacijos vaizdą, jos žaizdų visumoje susilydžiusį seksualumą ir griežtas automobilio technologijas. Kiekvienas jų savo vaizduotėje sujungs švelnius savo gleivinių audinių paviršius, savo ereguojančių ląstelių pluoštus su šios moters žaizdomis, pajus jas per savo automobilį, įprasmins stilizuotų pozų seka. Kiekvienas mintyse prisilies savo lūpomis prie tų kraujuojančių kiaurymių, prisispaus nosies pertvara prie pjūvių ant jos kairės rankos, vokais – prie apnuogintos jos smiliaus sausgyslės, sujaudinto penio oda – prie plyšusių jos lytinių lūpų tarpeklio. Avarija pavertė įmanoma galutinę ir taip trokštamą aktorės ir žiūrovų sąjungą.

Paskutinis su Voenu praleistas laiko tarpas mano sąmonėje neatskiriamas nuo jaudulio, kurį jutau galvodamas apie tas įsivaizduojamas mirtis, nuo pakilumo, patiriamo būnant šalia Voeno ir visiškai priimant jo mąstymo logiką. Keista, tačiau Voenas buvo paniuręs ir prislėgtas, abejingas tam, kad aš tapau jo uoliu mokiniu. Mums pusryčiaujant pakelės užkandinėse, jis maitino save amfetamino tabletėmis, tačiau šitie stimuliatoriai suveikdavo daug vėliau, dieną, ir jis truputį atsigaudavo. Nejaugi Voenas prarado ryžtingumą? Aš jutau, kad tapau vyraujančiu mūsų santykių nariu. Be jokių Voeno instrukcijų klausiausi policijos ir greitosios dažnių, ieškodamas naujų avarijų ir susidūrimų, variau automobilį privažiavimo keliais.

Mūsų abiejų elgesys tapo vis darnesnis, tarsi būtume įgudusi chirurgų, žonglierių ar komediantų komanda. Seniai pamiršę apie siaubą ir pasišlykštėjimą, pamačius sužalotas aukas, besisklaidant ankstyvo rytmečio rūkui sėdinčias apkvaitusias ant žolės šalia savo automobilių ar prismeigtas ant savo prietaisų skydelių, mes su Voenu patyrėme profesionalaus atsiribojimo jausmą, iš kurio galima buvo nuspėti pirmus tikro susidomėjimo daigus. Mano siaubą ir pasibjaurėjimą, kurį sukeldavo šie siaubingi sužalojimai, pakeitė skaidrus suvokimas, kad, išversdami šias žaizdas į mūsų fantazijų ir seksualinio elgesio kalbą, mes vieninteliu įmanomu būdu iš naujo atgaivinsime sužalotas ir mirštančias aukas. Ankstyvą popietę, pamatęs moterį vairuotoją baisiai sužalotu veidu, Voenas dešimt minučių gulėjo įkišęs penį į burną vidutinio amžiaus sidabraplaukei prostitutei, klūpančiai priešais jį ant kelių. Jis vos jos nepasmaugė, įnirtingai spausdamas galvą rankomis, kol iš jos burnos tarsi vanduo iš čiaupo ėmė lašėti seilės. Lėtai važiuodamas temstančiomis gyvenamųjų namų kvartalo gatvėmis į pietus nuo oro uosto, per petį stebėjau, kaip Voenas stumdė moterį po galinę sėdynę, judindamas savo tvirtus klubus. Jis vėl buvo pilnas įniršio ir pykčio. Jam patyrus orgazmą, moteris susmuko ant sėdynės. Sperma lašėjo iš jos ant drėgno vinilo šalia Voeno sėklidžių, o ji bandė atgauti kvapą, valydama nuo jo penio vėmalų tiškalus. Kol ji dėjosi į rankinę išbyrėjusius daiktus, aš žvelgiau į jos veidą ir mačiau Voeno sėkla aptaškytą sužalotą avariją patyrusios moters veidą. Ant sėdynės, ant Voeno šlaunų, ant pusamžės prostitutės rankų tarsi opalai blizgėjo sėklos lašeliai, mirgančio šviesoforo ritmu keisdami spalvas iš raudonos į gintarinę ir žalią, atspindėdami tūkstančius nakties ore pro mus lekiančių šviesų, plieskiančius žibintus ir didžiulį šviesos vainiką, gaubiantį oro uostą. Žvelgiau į vakarėjantį dangų ir man atrodė, kad Voeno sėkla užliejo visą kraštovaizdį, maitino tūkstančius variklių, elektros grandinių ir privačių likimų, drėkino mažiausius mūsų gyvenimo postūmius.

Būtent tą vakarą aš pastebėjau pirmas žaizdas, kurias pasidarė Voenas. Degalinėje Vakarų prospekte jis tyčia prispaudė savo ranką durelėmis, mėgdžiodamas jaunos viešbučio administratorės, nukentėjusios nuo stipraus šoninio smūgio viešbučio automobilių aikštelėje, rankos sužalojimą. Voenas nuolat laupė ant krumplių užsitraukusius šašus. Randai ant jo kelių, užgiję daugiau nei prieš metus, vėl ėmė atsiverti. Kraujo lašeliai sunkėsi pro sudėvėtą džinsų audinį. Raudonų dėmių atsirado ant dėtuvės spynelės apačios, ant apatinio radijo apvado krašto, ryškėjo ant juodo durelių plastiko. Voenas ragino mane važiuoti greičiau nei leidžiama oro uosto privažiavimo kelyje. Kai staiga stabdydavau sankryžose, jis tyčia leisdavo savo kūnui atsitrenkti į prietaisų skydelį. Kraujas ant sėdynių maišėsi su sudžiūvusia sėkla, man vairuojant margino rankas tamsiais taškeliais. Jo veidas buvo išblyškęs labiau, nei kada nors buvau matęs, jis nervingai, tarsi užguitas gyvūnas, blaškėsi po automobilį. Šis perdėtas erzulys priminė man, kaip prieš kelerius metus aš ilgai bandžiau atsigauti po LSD, kaip keliolika mėnesių jutau, lyg mano smegenyse staiga būtų atsivėrusi anga į pragarą, tarsi mano smegenų ląstelės būtų apnuogintos per kažkokią pasibaisėtiną avariją.

2 1

Mano paskutinis susitikimas su Voenu – ilgos baudžiamosios ekspedicijos į mano nervų sistemą kulminacija – įvyko po savaitės Okeano terminalo laukiamajame. Žvelgiant į praeitį atrodo ironiška, kad būtent šiai stiklo, skrydžių ir galimybių patalpai buvo lemta tapti mūsų su Voenu gyvenimų ir mirčių išsiskyrimo vieta. Voenas niekada neatrodė vienišesnis ir labiau sutrikęs nei tada, kai ėjo manęs link tarp chromuotų kėdžių ir stalų, o jo atspindžiai mirgėjo ant stiklo sienų. Dėl raupuoto veido ir išsekusios kerėpliškos eisenos, braudamasis pro lėktuvų laukiančius keleivius, jis atrodė it fanatikas nevykėlis, atkakliai besilaikantis savo pasenusių įsitikinimų.

Jis sustojo prie baro. Kai aš pakilau su juo pasisveikinti, Voenas, atrodė, nė nesivargino manęs atpažinti, lyg aš būčiau vos prisimenamas veidas. Jo rankos ant baro paviršiaus nerimo, tarsi ieškotų prietaisų skydelio jungiklių, šviežio kraujo dėmelės ant krumplių blizgėjo šviesoje. Praėjusias šešias dienas aš nervingai laukiau jo savo biure ir namuose, pro langus stebėdamas greitkelius ir lėkdamas žemyn laiptais kiekvieną kartą, kai man pasivaidendavo pravažiuojantis jo automobilis. Nagrinėdamas laikraščių ir kino žurnalų apkalbų skiltis, aš bandžiau atspėti, kurią ekrano žvaigždę ar politikos įžymybę Voenas galėjo sekti, savo mintyse dėliodamas įsivaizduojamų avarijų elementus. Visi praėjusios savaitės išgyvenimai, patirti kartu, sukėlė man vis stiprėjančio įniršio būseną, kurią, žinojau, tik Voenas galėjo išsklaidyti. Savo fantazijose aš mylėjausi su Katrina, užsiiminėjau sodomija su Voenu, tarsi tik šis aktas galėtų atskleisti man iškrypėliškos technologijos šifrą.

Voenas laukė, kol aš užsakysiu jam išgerti, pro pakilimo takus žvelgdamas į lėktuvą, kylantį virš vakarinio oro uosto krašto. Jis tą rytą man paskambino – jo balsas buvo vos atpažįstamas – ir pasiūlė susitikti oro uoste. Vėl jį pamatęs, žvilgsniu paglostęs sudėvėtose kelnėse ryškėjančias sėdmenų ir šlaunų apybaižas, randus aplink burną ir po žandikauliu, aš pajutau stiprų erotinį susijaudinimą.

– Voenai... – bandžiau įsprausti į jo ranką kokteilį. Jis nesiginčydamas linktelėjo. – Pabandyk gurkštelti. Gal nori pusryčių?

Voenas nė nebandė prisiliesti prie stiklinės. Jis dėbtelėjo į mane dvejodamas tarsi šaulys, matuojantis atstumą iki taikinio. Paėmė grafiną su vandeniu ir stebėjo tarp rankų tekantį skystį. Kai jis prisipylė purviną stiklinę, stovinčią ant baro, ir godžiai ją ištuštino, aš supratau, kad jį užlieja stiprėjanti rūgšties poveikio banga. Jis sugniauždavo ir ištiesdavo delnus, pirštų galiukais braukė sau per burną. Palaukiau, kol jis užkops pirmais susijaudinimo ir nerimo lapteliais, akimis naršydamas po stiklines sienas, žvilgsniu fiksuodamas pirmuosius susilydžiusius šviesos ir judesio krislelius.

Mes nuėjome prie jo automobilio, pastatyto šalia oro uosto autobuso. Žengdamas priešais, Voenas judėjo tarsi pernelyg atsargus lunatikas. Jis įsižiūrėdavo į atskirus dangaus gabalėlius, patirdamas – tą ir aš puikiai prisiminiau – tuos įspėjančius šviesos pokyčius, kurie per akimirką tviskančią vasaros popietę paversdavo švininiu žiemos vakaru. Sėdėdamas linkolno keleivio sėdynėje, Voenas nugrimzdo į jos apmušalą, tarsi išskleisdamas ant jo savo žaizdas. Jis stebėjo, kaip krapštausi su degimu, vos šypsodamasis iš to stropumo, su kuriuo jį persekiojau, ir kartu priimdamas savo žlugimą ir mano viršenybę.

Kai užvedžiau variklį, Voenas uždėjo savo sutvarstytą delną man ant šlaunies. Nustebintas šio tarp mūsų atsiradusio fizinio kontakto, aš iš pradžių pagalvojau, kad Voenas bando nuraminti mane. Jis pakėlė ranką prie mano burnos ir aš pamačiau suglamžytą sidabrinį kubelį. Išlanksčiau foliją ir užsidėjau cukrų ant liežuvio.

Iš oro uosto išvažiavome tuneliu, kirtome Vakarų bulvarą ir nuožulna pakilome į išsukimą. Dvidešimt minučių važiavau Northolto greitkeliu, varydamas automobilį kelio viduriu ir leisdamas greitesniam eismui lenkti mus iš abiejų pusių. Voenas atsilošė, kairysis jo skruostas rėmėsi į vėsią sėdynę, rankos kabojo išilgai kūno. Retkarčiais jo delnai susigniauždavo, rankos ir kojos nesąmoningai susilenkdavo. Aš jau jutau pirmąjį rūgšties poveikį. Mano delnai atrodė vėsūs ir švelnūs; jutau, tarsi iš jų tuoj išaugs sparnai ir kilstels mane į pro šalį švilpiantį orą. Mano pakaušyje ėmė formuotis ledinis nimbas, tarsi debesys, kurie susidaro kosminių laivų angaruose. Aš jau leidausi į rūgšties kelionę prieš dvejus metus – į paranojišką košmarą, kurio metu į savo sąmonę įsileidau Trojos arklį. Katrina, bejėgiškai bandžiusi mane nuraminti, virto priešišku plėšriu paukščiu. Jaučiau, kaip pro jos snapu iškaltą skylę ant pagalvės slysta mano smegenys. Pamenu, įsikibęs jos rankos raudojau tarsi kūdikis, maldaudamas nepalikti manęs, kol mano kūnas traukėsi į apnuogintą membraną.

Su Voenu, priešingai, jaučiausi atsipalaidavęs, buvau įsitikinęs jo simpatija man, tarsi jis tyčia vežiotų mane šiais greitkeliais, jo sukurtais man vienam. Likusieji mus lenkiantys automobiliai gyvavo tik dėl jo ypatingos malonės. Tuo pat metu aš buvau tikras, kad viskas aplinkui, taip pat ir nepaliaujamai mano kūnu plintantis LSD, buvo tik kažkokio ironiško Voeno sumanymo dalis, tarsi susijaudinimas, užliejęs mano smegenis, svyruotų tarp priešiškumo ir meilės – emocijų, tarp kurių išnyko bet koks skirtumas.

Mes išvažiavome į išorinio aplinkkelio vingį, vedantį į vakarus. Sukdamasis aplink centrinę sankryžos klombą, aš išvažiavau į sulėtinto eismo juostą ir, atsidūręs tiesiojoje, padidinau greitį. Visos proporcijos pakito. Cementinės išvažiavimų sienos stūksojo virš mūsų tarsi švytinčios uolos. Susiliejančios ir išsukančios skiriamosios juostos virto baltų gyvačių raizgalyne, jos raitėsi, kai nerūpestingi it delfinai automobiliai savo ratais pervažiuodavo joms nugaras. Kelio ženklai kabojo virš mūsų lyg dosnūs pikiruojantys bombonešiai. Aš prispaudžiau savo delnus prie vairo krašto, niekieno nepadedamas stūmiau automobilį auksiniu oru. Du oro uosto autobusai ir sunkvežimis aplenkė mus, jų ratai atrodė beveik nejudrūs, tarsi šios mašinos būtų dekoracijos, prikabintos prie dangaus. Apsižvalgius aplinkui, man kilo įspūdis, kad visi automobiliai greitkelyje buvo nejudrūs, tik po jais, kurdama judesio iliuziją, pašėlusiai sukosi žemė. Mano dilbių kaulai buvo tvirtai susijungę su vairo kolonėle, ir aš jutau mažiausius ratų ir kelio virptelėjimus, sustiprintus šimtus kartų, kiekvieną akmenėlį ar trupinį mes pervažiuodavome tarsi mažo asteroido paviršių. Pavarų dėžės burzgesys sklido mano kojomis ir stuburu, aidu atsimušdamas į kaukolės skliautą, tarsi aš pats gulėčiau transmisijos tunelyje, rankomis laikydamasis už alkūninio veleno ir kojomis varydamas mašiną į priekį.

Šviesa virš greitkelio tapo ryškesnė – dykumos oro ryškumo. Baltas betonas virto išlenktu kaulu. Automobilį užliejo nerimo bangos, tarsi karšto virš asfalto virpančio oro gūsiai. Žvelgdamas į Voeną, aš bandžiau suvaldyti šį nervinį mėšlungį. Mus aplenkiantys automobiliai atrodė įkaitinti saulės, ir aš buvau tikras, kad jų metaliniai kūnai laikėsi vos per laipsnį nuo tirpimo temperatūros, nuo subyrėjimo juos saugojo tik mano vizijos jėga, ir jeigu aš nors truputėlį nukreipsiu dėmesį į vairą, metalinės plėvelės, išlaikančios šių automobilių formas, plyš ir verdančio metalo srovės plūstels ant kelio. Ir priešingai, artėjantys automobiliai gabeno didžiules vėsios šviesos mases, vilko priekabas, prikautas elektrinių gėlių, vežamų į festivalį. Jų greičiui didėjant pastebėjau, kad mane įtraukė į greitąją juostą, tad atvažiuojantys automobiliai lėkė tiesiai į mus, tarsi didžiulės karuselės. Jų radiatorių grotelės virto paslaptingais ženklais, judančiais rašmenimis, pašėlusiu greičiu išsivyniojančiais ant kelio paviršiaus.

Išsekintas pastangų susikaupti ir išsilaikyti aplinkui važiuojančius automobilius jų eismo juostose, aš nukėliau rankas nuo vairo ir leidau automobiliui judėti pačiam. Ilga ir elegantiška kreive linkolnas kirto greitąją juostą. Padangos sucypė palei cementinį bortelį, į priekinį stiklą bloškėsi dulkių sūkurys. Aš bejėgiškai atsilošiau, kūną apleido jėgos. Pamačiau vairą laikančią Voeno ranką. Jis sėdėjo įstrižai, įrėmęs kelį į prietaisų skydelį, ir pasuko automobilį likus keletui colių nuo skiriamosios juostos. Gretima eismo juosta į mus lėkė sunkvežimis. Voenas patraukė ranką nuo vairo ir mostelėjo man, siūlydamas pervažiuoti skiriamąją juostą ir rėžtis tiesiai į sunkvežimį.

Į mane atsirėmusio Voeno fizinis artumas nukreipė dėmesį, ir aš vėl paėmiau vairą ir pasukau automobilį į greitąją juostą. Voeno kūnas atrodė kaip laisvai suporuotų plokštumų santalka. Jo raumenų ir asmenybės dalelės kybojo per keletą milimetrų vienos nuo kitų, praplaukdamos pro mane šioje beorėje erdvėje tarsi astronauto kabinos turinys. Aš stebėjau, kaip mūsų link artėja automobiliai, sugebėdamas suvokti tik mažą dalelytę tūkstančių žinučių, kurias man blykčiojo jų ratai, žibintai, priekiniai stiklai ir radiatorių grotelės.

Prisiminiau savo pirmąją kelionę iš Ešfordo ligoninės namo po patirtos avarijos. Eismo margumynas, nervingos greitkelių užtvarų perspektyvos ir automobilių eilės Vakarų prospekte tarsi užbėgo už akių rūgšties sukeltai vizijai, lyg mano žaizdos būtų pražydusios šiais rojaus tvariniais, švęstų mano avarijos ir metalizuotų Eliziejaus laukų susiliejimą. Kai Voenas vėl pasiūlė sudaužyti automobilį į priešais atvažiuojančias mašinas, man kilo pagunda jam paklusti, nesipriešinti gundančiam jo rankos spaudimui. Į mus švilpė oro uosto autobusas, jo sidabrinis korpusas apšvietė visas šešias greitkelio eiles. Jis leidosi mūsų link lyg švytintis arkangelas.

Ranka laikiau Voeno riešą. Tamsūs jo dilbio plaukeliai, randai ant smiliaus ir rodomojo piršto krumplių varvėjo rūsčiu grožiu. Nusisukęs nuo kelio, suspaudžiau Voeno ranką savojoje ir stengiausi nežiūrėti į šviesų fontaną pro priekinį stiklą, trykštantį iš artėjančių automobilių.

Ant greitkelio abipus mūsų leidosi angeliškų tvarinių armada, kiekvienas jų buvo apsuptas gigantiškos šviesos aureolės, jie tučtuojau pasklisdavo į skirtingas puses. Jie sklendė pro šalį, pakilę keletą pėdų virš žemės, o ant begalinių greitkelių vagojamo kraštovaizdžio leidosi vis nauji. Aš supratau, kad visus šiuos kelius ir greitkelius mes, patys to nesuvokdami, nutiesėme specialiai jiems sutikti.

Palinkęs virš manęs, Voenas vairavo automobilį per šiuos skrydžiui nutiestus kelius. Mums pakeitus kryptį, aplinkui sužvigo padangos ir garso signalai. Voenas valdė vairą tarsi tėvas, vedantis pavargusį vaiką. Aš pasyviai laikiausi už vairo, paklusdamas į šoninį kelią sukančiam automobiliui.

Mes sustojome po tiltu, priekiniu linkolno buferiu užvažiavę ant betoninės tvorelės, skiriančios greitkelį nuo automobilių sąvartyno. Prieš išjungdamas variklį, dar truputį pasiklausiau jo muzikos ir atsilošiau sėdynėje. Galinio vaizdo veidrodėlyje stebėjau automobilius, užvažiavimu kylančius į greitkelį – nekantrius šio oro karnavalo dalyvius. Jie plaukė kelio paviršiumi virš mūsų galvų, kad prisijungtų prie lėktuvų, kuriuos daugybę mėnesių stebėjo Voenas. Stebeilydamasis į tolimas šiaurinio aplinkinio greitkelio šalikeles mačiau, kad tų metalinių būtybių buvo visur, jos sklandė saulės šviesoje ir kildavo aukštyn, vos tik eismo kamštis jas surakindavo.

Automobilio vidus aplinkui mane švytėjo lyg burtininko irštva; man judinant akis, šviesa automobilio viduje tapdavo ryškesnė arba priblėsdavo. Prietaisų skalės nušvietė mano odą savo blizgančiomis rodyklėmis ir skaičiais. Skydelio ciferblatų šarvai, metaliniai radijo apvadai ir peleninės švytėjo aplinkui mane it altoriaus paveikslai, jie siekė mane apkabinti tarsi itin protingas mechanizmas.

Sąvartyne, apšviesti nuolat kintančios šviesos, driekėsi apleistų automobilių legionai, jų kontūrai virpėjo, lyg aplinkui pūstų laiko vėjas. Rūdijančio metalo juostos varvėjo perkaitusiame ore, šviesos, gobiančios sąvartyną, aureolė laižė dar nenusilupusį laką. Deformuoto metalo ašakos, sudužusio stiklo šukės buvo tarsi ženklai, kurie metų metus neskaitomi gulėjo nušiurusioje žolėje, it slapti rašmenys, iššifruoti tik mūsų su Voenu, kol mes sėdėjome apsikabinę, o akių lėliukėse siautėjo elektrinė audra.

Aš paglosčiau Voeno petį, prisimindamas tą siaubą, kurio apimtas gniaužiau žmonos ranką. Voenas, jei nepaisytume jo šiurkštumo, buvo visai geranoriškas partneris, aplinkui švytinčio kraštovaizdžio centras. Paėmęs jį už rankos, prispaudžiau jo delną prie garso signalo medaliono, aliuminiu padengtos emblemos, kuri visada mane erzino. Jutau atspaudą jo baltoje odoje, prisiminiau tritono pavidalo mėlynę žuvusio Remingtono, gulinčio ant mano automobilio gaubto, delne, prisiminiau rausvus griovelius, kuriuos žmonos odoje palieka jos apatiniai, įsivaizduojamų žaizdų atspaudus, paliktus jai persirenginėjant prekybos centro kabinoje, prisiminiau jaudinančius plyšelius ir įdubas sužalotame Gabrielės kūne. Aš paeiliui perbraukiau Voeno ranka visus švytinčius prietaisų skydelio ciferblatus, spausdamas jo pirštus prie aštrių rankenėlių, prie išsikišusių posūkio indikatoriaus ir pavarų perjungimo svirčių.

Galų gale aš prispaudžiau jo delnus prie savo penio ir nusiraminau, pajutęs, kaip ryžtingai jis suėmė mano sėklides. Pasisukau į Voeną, kartu su juo plaukiau šiltame švytinčio oro fiziologiniame skystyje, mane drąsino stilizuota automobilio vidaus morfologija, šimtai švytinčių gondolų, sklendžiančių virš mūsų greitkeliu. Kai aš jį apkabindavau, Voeno kūnas, atrodė, slysčiojo mano glėbyje aukštyn ir žemyn, o prisilietus prie nugaros ir sėdmenų raumenų, jie sukietėdavo ir tapdavo nepermatomi. Laikiau jo veidą savo delnuose, jutau porcelianinį skruostų švelnumą, liečiau pirštais jo lūpų ir skruostų randus. Voeno oda atrodė padengta auksaspalviais žvyneliais, prakaito lašeliai ant jo rankų ir veido akino mane. Aš sumišau, pajutęs, kad grumiuosi su šiuo bjauriu auksiniu padaru, gražiu tik dėl savo randų ir žaizdų. Aš perbraukiau lūpomis randus ant jo veido, liežuviu čiuopdamas seniai pažįstamus jau nebeegzistuojančių skalių ir priekinių stiklų pėdsakus.

Voenas atlapojo savo odinę striukę, apnuogindamas naujai atsivėrusias žaizdas ant krūtinės ir pilvo, tarsi išprotėjęs transseksualas, rodantis savo nepavykusios lyties keitimo operacijos randus. Nuleidau galvą prie jo krūtinės, prispausdamas savo skruostą prie kruvinų lūžtančio vairo paliktų kontūrų, prie randų, paliktų susidūrimo su prietaisų skydeliu. Perbraukiau lūpomis jo kairįjį raktikaulį, pačiulpiau prakirstą spenelį, tarp lūpų jutau į dalis padalintą aureolę. Nusileidau jo pilvu drėgnų slėpsnų link, jos buvo išmargintos krauju ir sėkla, vos vos dvelkė moteriškais ekskrementais, prilipusiais prie penio pagrindo. Voeno šlaunys buvo apšviestos ištiso nepamirštamų susidūrimų žvaigždyno, savo lūpomis aš tyrinėjau šiuos randus vieną po kito, ragavau kraują ir šlapimą. Pirštais liečiau randus ant jo penio, tada burna pajutau galvutę. Atsegiau Voeno krauju išteptas kelnes. Jo nuogi sėdmenys buvo tarsi paauglio, glotnūs it vaiko. Mano kojų ir rankų nervai ėmė trūkčioti, galūnės lankstytis, apimtos nervinių traukulių. Aš pritūpiau už Voeno, spausdamas prie jo savo šlaunis. Virš tamsaus plyšelio tarp jo sėdmenų ryškėjo išsikišusi prietaisų skydelio skalė. Dešiniąja ranka, ieškodamas karštos angos, aš praskyriau jo sėdmenis. Keletą minučių, kol salono sienos bangavo ir švytėjo, tarsi bandydamos įgauti sudaužytų automobilių, gulinčių lauke, kontūrus, aš laikiau prispaudęs savo penį prie jo išangės. Jo išangė atsivėrė mano penio galvutei, apžiojo jį iki pat pagrindo, pajutau stiprius raumenis jį sugriebiant. Kol aš ritmingai judėjau jo tiesiojoje žarnoje, šviesos pagimdyti, sklendžiantys greit-keliu automobiliai traukė sėklą iš mano sėklidžių. Patyręs orgazmą, aš lėtai pakilau nuo Voeno, ranka praskėsdamas sėdmenis, kad ne-pažeisčiau jo išangės. Vis dar prilaikydamas jo sėdmenų puseles, aš žvelgiau, kaip iš jo išangės ant rantytos vinilo sėdynės varva sėkla.

Mes sėdėjome kartu, skalaujami iš visų pusių kraštovaizdį užlie-jusios šviesos. Kol Voenas miegojo, laikiau jį apkabinęs. Žvelgiau, kaip lėtai senka fontanas, trykštantis iš sudaužytų automobilių ra-diatorių. Mano kūną apėmė visiška ramybė, iš dalies sudaryta iš mano meilės Voenui ir iš švelnumo tai metalinei pavėsinei, kurioje mes sėdėjome. Kai Voenas pabudo, išvargęs ir vis dar pusiaumiegis, savo nuogu kūnu atsišliejo į mane. Jo veidas buvo išblyškęs, akys klaidžiojo mano rankomis ir krūtine. Mes parodėme vienas kitam savo žaizdas, apnuogindami randus kviečiantiems pavojingiems automobilio salono kampams, aštriems chromuotų peleninių pa-kraščiams, tolimos sankryžos šviesoms. Savo žaizdomis mes šlovi-nome tuos, kurie atgimė po kovos su eismu, sužalojimus ir agoniją tų, kuriuos mes matėme mirštančius šalikelėse, ir įsivaizduojamas žaizdas bei pozas tų milijonų, kuriems dar tik buvo lemta mirti.

22

Musės ropinėjo po alyvuotą priekinį langą, plakėsi į stiklą. Jų kū-nelių grandinėlės sudarė melsvą šydą tarp manęs ir greitkelio eismo. Aš įjungiau valytuvus, tačiau jie slydo neliesdami musių, visai jų nebaidydami. Voenas gulėjo atsilošęs ant sėdynės šalia, kelnės nu-smauktos iki kelių. Tiršti musių tumulai ropinėjo jo krauju ište-pliota krūtine, teršė ant jo blyškaus pilvo. Jos tarsi išaudė prijuostę, dengiančią jo gaktos plaukus ir nuo jo suglebusių sėklidžių kylančią krūtinės randų link. Musės knibždėjo ant Voeno veido, krebždėjo aplink jo burną ir šnerves, lyg laukdamos dvokiančių skysčių, išsisunksiančių iš jo kūno. Voeno akys, atmerktos ir gyvos, ramiu žvilgsniu žvelgė į mane iš atloštos ant sėdynės galvos. Bandžiau nuo jo veido nubraukti muses, galvodamas, kad jos jį erzina, ir pamačiau, kad mano rankos ir veidas, automobilio vidus knibždėjo vabzdžiais.

Vairas ir prietaisų skydelis tiesiog bangavo, apsėstas išsprogtaakės ordos. Nekreipdamas dėmesio į perspėjantį Voeno gestą, aš pradariau dureles. Voenas bandė mane sustabdyti. Jo išsekęs veidas spinduliavo perspėjimą, buvo iškreiptas susirūpinimo ir nerimo grimasos, tarsi jis būtų išsigandęs to, kas manęs laukė gryname ore. Aš išlipau ant kelio, nuo savo rankų mašinaliai nubraukdamas tuos optiškai erzinančius taškelius. Patekau į apleistą pasaulį. Akmenukai kelio paviršiuje, pažerti čia praūžusio viesulo, tučtuojau įsikirto į mano puspadžius. Betoninės tilto sienos buvo pilkos ir sausos, tarsi įėjimas į požemį. Automobiliai, padrikai judantys virš manęs esančiu keliu, atsikratė savo šviesos krovinio ir žvangėjo greitkeliu, lyg sulamdyti dezertyravusio orkestro instrumentai.

Tačiau man nusisukus ir vėl pažvelgus į tiltą, saulės šviesa sutvėrė iš jo sienų akinančio ryškumo kubą, lyg akmeninis paviršius būtų įkaitęs iki baltumo. Buvau įsitikinęs, kad balta kelio plokštuma – viena iš Voeno kūno dalių, o aš esu tik ja ropojanti musė. Bijodamas net pajudėti – man rodės, kad nudegsiu į šį švytintį paviršių, – aš prispaudžiau delną prie viršugalvio, prilaikydamas minkštus smegenų audinius.

Staiga šviesa išblėso. Voeno automobilis pasinėrė į tamsą po tiltu. Viskas vėl tapo pilkšva. Oras ir šviesa išseko. Aš žengiau keliu tolyn nuo automobilio, jusdamas bejėgiškai man ištiestą Voeno ranką. Ėjau palei metalinę tvorą, vedančią piktžolėmis apaugusių

sąvartyno vartų link. Virš manęs, lyg aplamdytos nusilupusiais da-
žais griuvenos, judėjo automobiliai. Jų vairuotojai įsitempę sėdėjo
prie vairo ir lenkė oro uosto autobusus, prisodintus manekenų, ap-
rengtų beprasmiais drabužiais.

Pakelės aikštelėje po tiltu gulėjo paliktas automobilis, be variklio
ir ratų. Aš atidariau ant surūdijusių vyrių besilaikančias dureles. Su-
eižėjusio stiklo konfeti buvo nuklojusi priekinę keleivio sėdynę. Li-
kusią valandą sėdėjau ten, laukdamas, kol rūgštis išgaruos iš mano
nervų sistemos. Susirietęs prie šios išardytos lūženos prietaisų sky-
delio, aš spaudžiau kelius prie krūtinės ląstos, mankštinau blauzdų
ir rankų raumenis, stengdamasis iš savo kūno išspausti paskutinius
šio beprotiško dirgiklio mikrolašelius.

Musės dingo. Šviesos taip staigiai nebesikaitaliojo, oras virš
greitkelio nebesūkuriavo. Paskutiniai aukso ir sidabro purslai susi-
gėrė į apleistas sąvartyno lūženas. Tolimų autostradų parapetai įgavo
apybraižas. Susierzinęs ir išsekęs, aš pastūmiau dureles ir išlipau iš
automobilio. Stiklo duženos, pažirusios ant žemės, blizgėjo lyg nu-
vertėjusios monetos.

Riaumodamas atgijo variklis. Grįžęs ant kelio, staiga suvokiau,
kad iš šešėlio po tiltu, kur mes su Voenu kartu gulėjome, į mane
atūžia didžiulis juodas automobilis. Jo baltašonės padangos drabstė į
šalis alaus butelių šukes ir cigarečių pakelius, peršoko siaurą bortelį
ir metėsi manęs link. Žinodamas, kad Voenas nesustos, aš prisispau-
džiau prie betoninės sienos. Linkolnas prašvilpė pro mane, priekiniu
dešiniuoju sparnu atsimušdamas į apleisto automobilio, kuriame aš
sėdėjau, bagažinę. Jis šoko į priekį, nuo vyrių nuraudamas praviras
keleivio dureles. Jam įsukant į šalutinį kelią, į orą pakilo dulkių ir
suplėšytų laikraščių sūkurys. Kruvinos Voeno rankos sukiojo vairą.
Linkolnas vėl peršoko įsukimo kelio bortelį. Jis nugriovė dešimt
jardų medinės tvoros. Galiniai ratai vėl sukibo su kelio paviršiumi,
ir automobilis, mėtydamasis į šalis, nurūko keliu.

Aš grįžau prie apleistos griuvenos ir atsirėmiau į jos stogą. Keleivio durelės buvo sugrūstos į priekinį sparną, deformuotas metalas sulipęs nuo smūgio. Galvodamas apie Voeno kūną, kuris buvo panašiai suvirintas randais bet kokiomis kryptimis, ūmaus smurto kontūrais, aš žiauktelėjau rūgšties gleivėmis. Linkolnui griaunant tvorą, Voenas atsigręžė į mane, jo rūsčios akys tarsi bandė apskaičiuoti, ar jam pavyktų mane parblokšti antru bandymu. Aplink mane pleveno suplėšyto popieriaus skiautės ir lėtai leidosi ant sumaitotų durelių ir radiatoriaus gaubto.

23

Į dangų virš oro uosto kopė stiklo lėktuvai. Pro trapų orą aš žvelgiau į eismą greitkelyje. Prisiminimai apie nuostabias mašinas, kurias mačiau sklendžiant betoninėmis kelio juostomis, pavertė šiuos kažkada mane slėgusius kamščius begaline švytinčia eile, kantriai laukiančia galimybės užvažiuoti nematomu keliu, vedančiu į dangų. Aš žvelgiau žemyn iš savo buto balkono, stengdamasis atrasti tą pakilimą į rojų, mylios pločio nuolydį, besiremiantį į dviejų arkangelų pečius, kuriuo galėtų plaukti viso pasaulio eismas.

Tomis keistomis dienomis, kai aš gaivaliojausi nuo rūgšties poveikio ir vos manęs neištikusios mirties, tūnojau namuose su Katrina. Sėdėdamas balkone, rankomis spausdamas pažįstamus krėslo ranktūrius, aš žvelgiau žemyn į metalu blizgančią lygumą, ieškodamas kokių nors Voeno pėdsakų. Sausakimšomis betono juostomis vos šliaužė eismas, automobilių stogai atrodė lyg vientisas švytintis skydas. Pasibaigus LSD poveikiui, mane apėmė beveik trikdanti ramybė. Jaučiausi atsijęs nuo savo kūno, tarsi mano raumenys kybotų keletą milimetrų aukščiau mano griaučių armatūros ir jie jungtųsi tik tose dabar vėl ėmusiose mausti vietose, kur anksčiau buvo žaizdos.

Dar keletą dienų man sugrįždavo ištisi nepažeisti patirtos „kelionės" fragmentai ir aš matydavau paradiniais šarvais apgaubtus automobilius greitkelyje, ugniniais sparnais jie sklandė virš kelių. Pėstieji gatvėse taip pat dėvėjo švytinčius kostiumus, tarsi aš būčiau vienišas matadorų miesto lankytojas. Katrina judėjo man už nugaros tarsi elektrinė nimfa, atsidavęs padaras, savo ramiu buvimu saugantis mano susijaudinimo blyksnius.

Ne tokiomis laimingomis akimirkomis grįždavo tąsus kliedesys ir pykinančios pilko tilto perspektyvos, drėgnas požemis, ties kurio žiotimis mačiau tūkstančius musių, knibždančių ant prietaisų skydelio, ir Voeno, tysančio su nuleistomis kelnėmis bei stebinčio mane, sėdmenų. Nuo šių trumpų prisiminimų mane apimdavo siaubas, ir aš spausdavau Katrinos rankas, kol ji laikydavo mane už pečių, bandydama įtikinti, kad aš sėdžiu kartu su ja, savo paties bute prie uždaro lango. Dažnai jos klausdavau, koks dabar metų laikas. Šviesos kaita mano tinklainėje be perspėjimo sumaišydavo metų laikus.

Vieną rytą, kai Katrina palikusi mane išėjo į savo paskutinę skraidymo pamoką, aš virš greitkelio pamačiau jos lėktuvėlį, stiklinį laumžirgį, nešamą saulės. Staiga man pasirodė, kad jis nejudėdamas kabo man virš galvos, propeleris sukosi lėtai, tarsi žaislinio lėktuvo. Iš jo sparnų nepaliaujamu srautu liejosi šviesa.

Greitkeliu po ja sklendžiantys automobiliai kraštovaizdžio paviršiuje žymėjo visas įmanomas jos skrydžio kryptis, braižė būsimus mūsų kelionės per dangų planus, sparnuotų technologijų maršrutus. Aš pagalvojau apie Voeną, aplipusį musėmis lyg prisikėlęs lavonas, stebintį mane su pašaipa ir meile. Žinojau, kad Voenas gali niekada nemirti avarijoje, tačiau net tada pajėgtų kažkaip atgimti šiose sulankstytose radiatorių grotelėse ir žyrančiame langų stikle. Galvojau apie jo randuotą baltą pilvo odą, tankius, jau nuo šlaunų pradedančius želti gaktos plaukus, jo lipnią bambą ir dvokiančias pažastis, jo šiurkštų elgesį su moterimis ir automobiliais ir nuolankų švelnumą man. Net man kišant penį į jo išangę, Voenas žinojo, kad bandys mane nužudyti ir kad tai bus paskutinis jo atsitiktinės meilės man proveržis.

Katrinos automobilis sustojo po miegamojo langais. Kairėje pusėje dažai buvo nubraukti per kažkokį nedidelį susidūrimą.

– Tavo automobilis?.. – suėmiau ją už pečių. – Ar tau nieko neatsitiko?

Ji atsišliejo į mane, tarsi mūsų kūnų susilietimu bandytų įsiminti šio susidūrimo vaizdą. Nusivilko lakūno striukę. Dabar kiekvienas iš mūsų atskirai jau buvome pasimylėję su Voenu.

– Aš nevairavau, buvau palikusi automobilį oro uosto stovėjimo aikštelėje, – ji ištiesė rankas ir suėmė mane už alkūnių. – Galbūt tai padarė tyčia?

– Vienas iš tavo gerbėjų?

– Vienas iš mano gerbėjų.

Ją turėjo išgąsdinti šis beprasmis automobilio užpuolimas, tačiau ji ramiai žvelgė, kaip aš apžiūriu jo pėdsakus. Apčiupinėjau kairiųjų durelių ir sparno nubrozdinimus, delnu perbraukiau gilią įdubą, kuri tęsėsi per visą automobilį nuo sudaužyto galinio žibinto iki priekinio. Sunkaus priekinio automobilio buferio palikta žymė buvo aiškiai matyti ant galinio sparno, – su niekuo nesupainiojamas Voeno linkolno parašas. Aš pačiupinėjau lenktą griovelį, aiškų kaip plyšys tarp kietų Voeno sėdmenų, taip pat ryškiai suformuotą, kaip jo išangės raukčiai, kuriuos aš vis dar jutau ant savo penio erekcijų metu.

Ar Voenas tyčia sekė Katriną? Ar smūgis į jos automobilį buvo pirmasis meilinimosi gestas? Aš pažvelgiau į jos blyškią odą ir tvirtą kūną, mintyse regėdamas Voeno automobilį, atšvilpiantį į mane tarp betoninių tilto atramų. Aš turėjau mirti kaip ir Sygreivas, atsijungęs nuo LSD.

Atidariau keleivio dureles, kviesdamas Katriną lipti.

– Leisk vairuoti man... šviesą dabar regiu aiškiai.

– Tavo rankos. Ar tikrai sugebėsi?

– Katrina, – suėmiau ją už rankos. – Man reikia sėsti prie vairo, kol visa tai dar nepraėjo.

Ji sukryžiavo nuogas rankas sau ant krūtinės ir įsistebeilijo į automobilio saloną, tarsi ieškodama musių, apie kurias jai pasakojau. Norėjau parodyti ją Voenui.

Užvedžiau variklį ir išsukau iš kiemo. Man didinant greitį, gatvė keitė savo perspektyvą, traukdamasi nuo manęs, tarsi suteikdama sau daugiau aptakumo. Ties prekybos centru gatvę perėjo jauna moteris, spindėdama vyšninės spalvos plastikiniu apsiaustu. Automobilio judėjimas, jo apybraižos ir proporcijos stipriai pasikeitė, tarsi būtų atsikračiusios visko, kas pažįstama ir miela. Gatvės apstatymas, vitrinos ir pėstieji taip pat buvo apšviesti mano automobilio judėjimo, jų švytėjimo intensyvumas priklausė nuo mano vairuojamos mašinos greičio. Ties šviesoforais aš žvilgčiojau į Katriną. Ji sėdėjo ranka laikydamasi už lango rėmo. Jos veido ir rankų spalvos atskleidė visą savo tyrumą ir grynumą, tarsi kiekviena kraujo ląstelė ir pigmento grūdelis, jos kremzlės, pirmąkart surinktos į visumą automobilio judėjimo, būtų tapusios tikrove. Jos skruostų oda, kelio ženklai, vedantys mus greitkeliu, automobiliai, stovintys ant prekybos centro stogo, tapo aiškūs ir įgijo tikrumo, tarsi pagaliau būtų nuslūgęs kažkoks milžiniškas potvynis, pirmąkart atidengęs viską, it mėnulio peizažo detales, natiurmortą, sudėliotą naikinimo būrio. Mes važiavome greitkeliu į pietus.

– Kur eismas?.. Kur visi dėjosi? – aš suvokiau, kad trys juostos buvo beveik tuščios. – Jie visi dingo.

– Aš norėčiau grįžti. Džeimsai!

– Palauk, tai tik pradžia.

Aš vis mąsčiau apie šį apleisto miesto ir paliktų technologijų vaizdą. Mes važiavome to kelio link, kuriame prieš keletą dienų mane bandė nužudyti Voenas. Apleistoje stovėjimo aikštelėje už sulūžusios tvoros dulsvoje šviesoje stovėjo palikti automobiliai. Aš važiavau pro subraižytus betoninius ramsčius tamsaus patiltės urvo link, ten, kur klausydamiesi, kaip viršuje ūžia eismas, mes apkabinome vienas kitą tarp betoninių kolonų. Katrina pažvelgė į bažnyčią primenančias tilto arkas, atrodančias it eilė povandeninių laivų saugyklų. Aš sustabdžiau automobilį ir atsigręžiau į ją. Nesąmoningai savo kūnui suteikiau padėtį, kurioje paėmiau Voeną. Pažvelgiau į savo šlaunis ir pilvą, įsivaizduodamas Voeno sėdmenis, pakeltus virš mano klubų, prisimindamas lipnią jo išangę. Kažkokiu paradoksaliu būdu mūsų lytinis aktas buvo visiškai neseksualus.

Visą tą popietę mes važinėjomės greitkeliais. Begalinis kelių, kuriais mes judėjome, tinklas slėpė beribio seksualinio malonumo formules. Stebėjau šoniniu keliu besileidžiančius automobilius. Kiekvienas ant stogo gabeno po saulės gabalėlį.

– Ar tu ieškai Voeno? – paklausė Katrina.

– Tam tikra prasme.

– Tu jo daugiau nebebijai.

– O tu?

– Jis ketina nusižudyti.

– Aš žinojau tai jau po Sygreivo mirties.

Stebėjau ją, o ji spoksojo į automobilius, slystančius nuo tilto mūsų, laukiančių skersgatvyje prie Vakarų prospekto, link. Norėjau, kad Voenas ją pamatytų. Galvojau apie ilgus įlenkimus, paliktus ant Katrinos automobilio šono, norėjau parodyti juos Voenui, paskatinti dar kartą pasimylėti su Katrina.

Degalinėje mes pastebėjome Verą Sygreiv, ji kalbėjosi su degalinės darbuotoja. Aš įsukau į kiemą. Pločiaklubė, raumeningomis krūtimis ir sėdmenimis Vera buvo apsivilkusi šilta odine striuke, lyg ruoštųsi išvykti į poliarinę ekspediciją.

Iš pradžių ji manęs neatpažino. Rūsčiai nužvelgė elegantišką Katrinos figūrą, tarsi jai keltų įtarimą ji, sėdinti sukryžiuotomis kojomis atvirame nubrozdintame sportiniame automobilyje.

– Jūs išvykstate? – parodžiau į lagaminus, sukrautus ant Veros automobilio galinės sėdynės. – Aš bandau rasti Voeną.

Vera baigė kalbėtis su degalinės darbuotoja, pagaliau susitarusi, kad ši pasirūpintų jos mažu sūneliu. Vis dar spoksodama į Katriną, ji įlipo į automobilį.

– Jis sekioja paskui savo aktorę. Jo ieško policija – šalia Northolto buvo nužudytas kažkoks amerikiečių kariškis.

Padėjau ranką ant priekinio stiklo, tačiau ji įjungė valytuvus ir vos nenukirto mano riešo kauliuko. Tarsi viską paaiškindama, ji tarė:

– Aš buvau su juo automobilyje.

Man nespėjus jos sustabdyti, ji pasuko prie išvažiavimo ir susiliejo su vakaro eismu.

Kitą rytą Katrina paskambino man iš savo biuro ir pasakė, kad Voenas persekiojo ją iki oro uosto. Kol ji tai pasakojo savo ramiu balsu, aš nešinas telefonu priėjau prie lango. Stebėdamas greitkeliu šliaužiančius automobilius pajutau, kaip kietėja mano penis. Kažkur apačioje, tarp tūkstančių automobilių, sankryžoje laukė Voenas.

– Jis turbūt ieško manęs, – tariau jai.

– Aš mačiau jį dukart – šį rytą jis manęs laukė prie įvažiavimo į automobilių aikštelę.

– Ką tu jam pasakei?

– Nieko. Aš kreipsiuosi į policiją.

– Ne, nereikia.

Kalbėdamas su ja pajutau, kad slystu į tą pačią erotinio svajingumo būseną, kurioje kartais klausinėdavau Katriną apie skraidymo instruktorių, su kuriuo ji pietaudavo, traukdamas iš jos kokio nors smulkaus meilės susitikimo ar nereikšmingo lytinio akto detales. Šio subtiliai užsitęsusio poravimosi ritualo metu nykios gatvės buvo apšviestos jų kūnų judėjimo.

Negalėdamas ilgiau ištverti bute tuo metu, kai vyksta šis piršimasis, aš nuvažiavau į oro uostą. Žvalgydamasis nuo daugiaaukštės automobilių aikštelės stogo, esančio šalia krovininių oro kompanijų pastato, aš laukiau pasirodant Voeno.

Kaip ir tikėjausi, Voenas laukė Katrinos prie išsukimo į Vakarų prospektą. Grubiai braudamasis masyviu automobiliu prieš eismą, jis nė neketino slėptis nuo kurio nors iš mūsų. Akivaizdžiai nesidomėdamas Katrina ar manimi, Voenas rėmėsi į dureles. Jis atrodė užsnūdęs, tačiau, pasikeitus šviesoms, šovė į priekį. Kairės rankos pirštais beldė į vairą, tarsi tuo greitu barbenimu skaitytų kelyje išrašytą Brailio raštą. Sekdamas šiomis savo galvoje iškylančiomis punktyrinėmis linijomis, jis sukiojo linkolną iš šono į šoną per visą kelią. Jo paburkęs veidas sustingo į standžią kaukę, randuoti skruostų raumenys spaudė burną. Jis įsiterpdavo tai į vieną, tai į kitą juostą, šaudavo į priekį greitam eismui skirta juosta, kol susilygindavo su Katrina, o tada nuslysdavo už jos, leisdamas tarp jų įsiterpti kitiems automobiliams, ir užimdavo stebėtojo poziciją. Jis ėmė mėgdžioti Katrinos vairavimą, jos ištiestus pečius ir pakeltą smakrą, jis taip pat dažnai naudojosi stabdžių pedalu, kaip ir ji. Jų suderintos stabdžių žibintų šviesos, judėdamos greitkeliu, tarsi kalbėjosi tarpusavyje, lyg seniai susituokusi pora. Aš lėkiau iš paskos mirkčiodamas šviesomis visiems pakeliui pasitaikantiems automobiliams. Mes pasiekėme įvažiavimą. Kol Katrina, priversta stabtelti už ilgos benzinvežių voros, kopė į estakadą, Voenas staiga padidino greitį ir nusuko į kitą pusę. Aš nusivijau jį, sukiodamasis aplink žiedines sankryžas ir sankirtas, kurių estakadoje netrūko. Mes peršokome keletą šviesoforų ir priartėjome prie eismo oro uosto link. Kažkur virš mūsų galvų atviru tiltu judėjo Katrina.

Voenas kirto popietinį eismą, paskutinę akimirką spausdamas stabdžius, pašėlusiu greičiu sukdamas sankryža, vertė automobilį ant dviejų ratų. Atsilikęs šimtu jardų, aš lėkiau tiesiai nusileidimo kelio link. Voenas stabtelėjo ties posūkiu, laukdamas, kol pro šalį pradundės benzinvežiai. Pasirodžius sportiniam Katrinos automobiliukui, jis šovė į priekį.

Lėkdamas paskui, aš laukiau, kol Voenas susidurs su Katrina. Jo automobilis, kirsdamas skiriamąsias linijas, lėkė susidūrimo trajektorija. Tačiau paskutinę akimirką jis nusuko, susiliedamas su eismu už jos nugaros. Jis dingo už posūkio, vedančio į šiaurinę magistralę. Ieškodamas jo žvilgsniu, aš stengiausi pasivyti Katriną ir spėjau išvysti sulankstytą buferį ir suskilusius žibintus, mirksinčius įžūliam sunkvežimio vairuotojui.

Po pusvalandžio savo namų rūsio garaže aš delnu liečiau Voeno automobilio įspaudus, paliktus ant sportinio automobilio šonų – mirties repeticijos ženklus.

Tos Katrinos ir Voeno būsimos vienybės repeticijos tęsėsi dar keletą dienų. Du kartus man skambino Vera Sygreiv ir klausė, ar aš nemačiau Voeno, tačiau aš tvirtinau, kad neišeinu iš savo buto. Ji papasakojo man, kad policija išsivežė Voeno nuotraukas ir įrangą iš tamsaus kambarėlio jos namuose. Kad ir kaip būtų keista, Voeno sugauti jie nesugebėjo.

Katrina niekada neužsimindavo, kad ją vaikosi Voenas. Tarpusavyje mes laikėmės ironiškos ramybės, tokią pat stilizuotą meilę vienas kitam demonstruodavome vakarėliuose, kai kažkuris iš mūsų ruošdavosi išeiti su nauju meilužiu. Ar ji suprato tikruosius Voeno motyvus? Tuo metu netgi aš nesugebėjau suvokti, kad ji buvo tik kruopščiai repetuojamos kitos, daug svarbesnės mirties dublerė.

Diena po dienos Voenas sekiojo paskui Katriną greitkeliais ir oro uosto keliais, kartais laukdamas jos drėgname akligatvyje greta mūsų namo, kartais tarsi šmėkla pasirodydamas greitojoje tilto juostoje, jo apdaužytas automobilis šlubavo kairiaisiais amortizatoriais. Aš stebėjau, kaip jis laukia jos įvairiose sankryžose, akivaizdžiai mintyse sverdamas įvairių avarijų rūšių galimybes: susidūrimą kaktomuša, smūgį į šoną, smūgį į galą, persivertimą. Tuo metu aš jutau augančią euforiją, pasidaviau neišvengiamai logikai, kuriai kažkada priešinausi, tarsi būčiau stebėjęs, kaip mano dukra išgyvena pirmąsias įsimylėjimo stadijas.

Dažnai stovėdavau ant žole apaugusio vakarinio nuvažiavimo kelio pylimo, žinodamas, kad tai mėgstamiausia Voeno vieta, ir žiūrėjau, kaip jis lekia vakaro eismo nešamos Katrinos link.

Voeno automobilis tapo vis labiau apdaužytas. Dešinysis sparnas ir durelės buvo išmarginti giliai į metalą įsispaudusiomis susidūrimų žymėmis, tas rūdijantis ornamentas vis labiau balo, tarsi po truputį atidengtų po juo slypintį skeletą. Stovėdamas už jo kamštyje Northolto kelyje, pastebėjau, kad du galiniai langai išdaužti.

Naikinimas tęsėsi. Nuo korpuso beveik atsiskyrė kairysis sparnas, priekinis buferis kabojo ant vieno varžto, Voenui sukant, jis surūdijusiu įlinkiu kabindavosi į žemę.

Pasislėpęs už dulkino priekinio stiklo, susikūprinęs prie vairo, Voenas visu greičiu lakstė greitkeliais, nekreipdamas dėmesio į automobilio įlinkius ir įbrėžimus, kaip isteriškas vaikas nekreipia dėmesio į sau padarytas žaizdas.

Vis dar nebūdamas tikras, ar Voenas bandys įsirėžti į Katrinos automobilį, aš nebandžiau jos perspėti. Jos mirtis būtų mano rūpesčio visomis lėktuvų katastrofų ir gamtos nelaimių aukomis pavyzdys. Gulėdamas naktį šalia Katrinos, rankomis minkydamas jos krūtis, aš įsivaizduodavau, kaip jos kūnas susiduria su įvairiais linkolno vidaus taškais, repetuodavau Voenui įvairias pozas, kuriose ji galėtų atsidurti. Nujausdama artėjantį susidūrimą, Katrina įžengė į užkerėtą savo sąmonės kambarį. Ji nuolankiai leido man dėlioti jos galūnes įvairiomis neištirtomis lytinio akto pozomis.

Katrinai miegant, sudaužytas automobilis važinėdavo ištuštėjusiu bulvaru. Visa apimančioje gatvių tyloje miestas atrodė ištuštėjęs. Tą trumpą valandėlę prieš auštant, kai iš oro uosto nekildavo nė vienas lėktuvas, vienintelis garsas buvo išklerusio Voeno duslintuvo tratėjimas. Pro virtuvės langą aš mačiau pilkšvą Voeno veidą, prispaustą prie langelio, gilus randas kirto jo kaktą kaip ryški odinė juostelė. Akimirką jutau, kad visi lėktuvai, į kuriuos kylančius jis mėgdavo žiūrėti, jau išskrido. Po to, kai išeisime mes su Katrina, jis pagaliau bus vienišas, galės savo subyrėjusiu automobiliu siaubti miestą.

Dvejodamas, žadinti Katriną ar ne, aš luktelėjau pusvalandį, o tada apsirengiau ir nusileidau į kiemą. Voeno automobilis stovėjo po prospekto medžiais. Aušros spinduliai blausiai švytėjo ant dulkino paviršiaus. Sėdynės buvo apskretusios alyva ir purvu, ant galinės sėdynės mėtėsi škotiško pledo skivytai ir murzina pagalvė. Iš sudaužytų butelių ir maisto skardinių ant grindų spėjau, kad Voenas automobilyje gyveno jau keletą dienų. Buvo aišku, kad apimtas įtūžio priepuolio jis daužė prietaisų skydelį ir suskaldė keletą skalių bei viršutinį skydelio kraštą. Išdraskytos plastikinės išėmos ir nuplėštos chromuotos juostelės supo šviesų jungiklius.

Spynelėje kyšojo rakteliai. Aš pažvelgiau į abi puses, bandydamas pamatyti, ar Voenas nesislepia už vieno iš medžių. Apėjau automobilį, ranka pastūmiau sulaužytus sparnus į vietą. Kol tai dariau, lėtai suzmeko priekinė kairė padanga.

Nusileido Katrina. Ryškėjančioje šviesoje mes patraukėme įėjimo link. Kai buvome jau prie pat slenksčio, garaže suriaumojo variklis. Tviskantis sidabru automobilis, kurį aš tučtuojau atpažinau kaip savąjį, lėkė į mus takeliu. Katrina sukliko, vos nesuklupo, tačiau man nespėjus paduoti jai rankos, automobilis mus aplenkė ir slystančiu žvyru metėsi į gatvę. Ankstyvo ryto ore atrodė, kad variklis staugia iš skausmo.

24

Daugiau Voeno nebemačiau. Po dešimties dienų jis žuvo ant tilto, mano automobiliu bandydamas įsirėžti į limuziną, vežantį jo taip ilgai persekiotą aktorę. Jo kūnas, įstrigęs automobilyje, perlėkusiame tilto turėklus ir įsirėžusiame į oro uosto autobusą, buvo taip sumaitotas, kad policija iš pradžių identifikavo jį kaip mane. Kol aš važiavau namo iš studijos Šepertone, jie paskambino Katrinai. Įsukęs į kiemą, pamačiau paklaikusią Katriną, vaikščiojančią aplink rūdijantį Voeno linkolno karkasą. Kai paėmiau ją už rankos, ji pažvelgė pro mane į tamsuojančias medžių šakas virš galvos. Akimirką buvau tikras, kad ji tikėjosi vietoj manęs pasirodysiant Voeną, atvykusį paguosti jos po mano mirties.

Prie tilto mes nuvažiavome Katrinos automobiliu, per radiją klausydamiesi žinių apie pavojų, kurio išvengė aktorė. Mes nieko nebuvome girdėję apie Voeną nuo to laiko, kai jis iš garažo pasiėmė mano automobilį. Aš vis labiau įsitikinau, kad Voenas buvo tik mano paties fantazijų ir manijų projekcija ir kad tam tikra prasme aš jį nuvyliau.

Tuo tarpu prospekte stovėjo paliktas linkolnas. Voenui žuvus, jis iro labai greitai. Rudens lapai nuklojo jo stogą ir pro išdužusius langus krito į saloną, automobilis kartu su jais ant zmenkančių padangų leidosi žemėn. Jo apleistumas, kadaruojantys buferiai ir apdaila žadino praeivių priešiškumą. Jauniklių gauja išdaužė priekinį stiklą ir išmušė žibintus.

Kai pasiekėme avarijos vietą ant tilto, pasijutau taip, tarsi inkognito lankyčiausi savo paties mirties vietoje. Netoliese įvyko ir mano avarija, automobilyje, tokiame pačiame kaip tas, kuriame mirė Voenas. Didžiulė automobilių uodega buvo užkimšusi išvažiavimą, todėl mes palikome savąjį garažo kieme ir nuėjome besisukančių už pusės mylios avarinių šviesų link. Ryškus vakarinis dangus nutvieskė visą kraštovaizdį, atsispindėjo nuo kamštyje įstrigusių automobilių stogų, tarsi mes visi būtumc laukę, kol leisimės keliauti į naktį. Virš galvos it žvalgybiniai moduliai, pasiųsti stebėti šią didžiulę migraciją, judėjo didžiuliai lėktuvai.

Aš žvelgiau į žmones automobiliuose, spoksančius pro priekinius stiklus, bandančius pagauti ką nors savo radijo imtuvais. Man atrodė, kad pažįstu juos visus – nesibaigiančio vakarėlio keliuose, kuriame mes visi lankėmės praeitą vasarą, svečius.

Avarijos vietoje, po aukštu tilto skliautu, maždaug penki šimtai žmonių buvo užėmę kiekvieną kelkraštį ir aplipę parapetus; juos čia priviliojo žinia, kad aktorė vos išvengė mirties. Kiek iš čia susirinkusiųjų manė, kad ji jau mirė ir užėmė vietą eismo avarijų aukų panteone? Ant nusileidimo nuo tilto nuovažos žiūrovai stovėjo trimis eilėmis palei kylančią baliustradą, spoksodami žemyn į Vakarų prospekto sankryžoje stovinčius policijos ir greitosios pagalbos automobilius. Virš apačioje stovinčiųjų galvų į viršų kilo sumaitotas oro uosto autobuso stogas.

Aš laikiau Katriną už rankos, galvodamas apie netikrus pasikėsinimus, kuriuos šioje sankryžoje jai buvo surengęs Voenas. Mano automobilis stovėjo šalia autobuso spiginančioje prožektorių šviesoje. Jo padangos vis dar buvo pilnos, tačiau kitkas buvo neatpažįstama, tarsi automobilį būtų daužę iš visų pusių, iš vidaus ir išorės. Voenas lėkė atvira tilto plokštuma maksimaliu greičiu, bandydamas pakilti į dangų.

Paskutinis keleivis buvo išneštas iš viršutinio autobuso aukšto, tačiau žiūrovų akys buvo įbestos ne į žmonių aukas, bet į deformuotas mašinas scenos centre. Ar jose jie matė savo būsimo gyvenimo modelius? Aktorė su vairuotoju stovėjo nuošaliai, ji buvo pakėlusi ranką prie kaklo, lyg bandydama prisidengti nuo mirties, kurios tik per plauką išvengė. Policininkai ir gydytojai, žiopliai, besigrūdantys tarp sustatytų policijos ir greitosios pagalbos automobilių, rūpestingai paliko jai laisvos erdvės.

Ant policijos automobilių stogų sukosi šviesos, viliojančios vis daugiau praeivių į avarijos vietą. Jie plūdo iš aukštuminių gyvenamųjų namų Northolte, iš visą naktį dirbančių prekybos centrų Vakarų prospekte, iš eismo, slenkančio tiltu pro šalį. Prožektorių apšviestas iš apačios, tilto skliautas atrodė tarsi avanscena, matoma iš automobilių už daugelio mylių. Tuščiomis šoninėmis gatvelėmis, pėsčiųjų zonomis, ištuštėjusio oro uosto salėmis didžiulės scenos link plūdo žiūrovai, privilioti Voeno mirties grožio ir logikos.

Praeitą vakarą mudu su Katrina apsilankėme policijos stovėjimo aikštelėje, į kurią buvo nuvežti mano automobilio likučiai. Aš paėmiau raktus iš pareigūno, jaunuolio skvarbiu žvilgsniu, kurį jau buvau matęs – jis vadovavo, kai Voeno automobilį išvežė nuo gatvės šalia mūsų namo. Buvau įsitikinęs, kad jis suprato, jog pasikėsinimą į aktorės limuziną Voenas planavo daugelį mėnesių, rinko medžiagą šiam susidūrimui, vogdamas automobilius ir fotografuodamas besimylinčias poras.

Mes su Katrina ėjome pro konfiskuotų ir paliktų automobilių eiles. Aikštelė skendėjo tamsoje, ją apšvietė tik gatvės žibintų šviesa, atsispindinti nuo sulankstytų chromuotų detalių. Įsiropštę ant galinės linkolno sėdynės, mes su Katrina trumpai, tarsi atlikdami ritualą, pasimylėjome, po trumpų spazmų jos vagina ištraukė iš manęs mažą sėklos trykštelėjimą; aš tvirtai rankomis spaudžiau jos sėdmenis, o ji kojomis buvo apsivijusi mano liemenį. Aš priverčiau ją priklaupti virš manęs, kol sėkla iš jos įsčių ištekėjo man į delną.

Vėliau, man laikant sėklą delne, mes vaikščiojome tarp automobilių. Žibintų šviesos slydo mūsų keliais. Šalia vartų sustojo atviras sportinis automobilis. Už priekinio stiklo, žvelgdamos į tamsą, sėdėjo dvi moterys, ta, kuri sėdėjo prie vairo, suko automobilį tol, kol priekiniai žibintai apšvietė sudaužyto automobilio, kuriame žuvo Voenas, likučius.

Keleivio vietoje sėdėjusi moteris išlipo ir trumpam stabtelėjo prie vartų. Žvelgdamas į ją iš tamsos, kol Katrina tvarkėsi drabužius, aš atpažinau daktarę Heleną Remington. Prie automobilio vairo sėdėjo Gabrielė. Tai, jog jas čia atviliojo troškimas paskutinį kartą žvilgtelėti į Voeno likučius, atrodė visai normalu. Įsivaizdavau, kaip jos lanko automobilių aikšteles ir greitkelius, jų sąmonėje pažymėtus Voeno manijų ženklu, o dabar dar ir pašventintus švelniais šios daktarės ir jos sužalotos meilužės apsikabinimais. Mane džiugino, kad Helena Remington dar labiau iškrypo ir surado savo laimę tarp Gabrielės randų ir sužalojimų.

Joms išvažiavus – Helenos ranka buvo uždėta ant atgal važiuojančios Gabrielės peties, – mes su Katrina pajudėjome toliau. Staiga suvokiau, kad delne vis dar nešuosi savo sėklą. Tiesdamas ranką pro išdaužtus langus, savo sėkla ženklinau alyvuotus skydelius ir prietaisus, paliesdamas šias pažeistas zonas labiausiai deformuotose vietose. Mes sustojome prie savo automobilio, keleivio pusės likučiai žvilgėjo nuo Voeno kraujo ir gleivių. Prietaisų skydelis buvo padengtas tiršta žmogaus audinių dėme, tarsi kažkas būtų purškęs kraują pulverizatoriumi. Sėkla iš savo delno aš pažymėjau sulamdytas skales ir valdymo svirtis, paskutinį kartą ant sėdynės apibrėždamas Voeno kontūrus. Atrodė, kad tarp šių sumaitotų sėdynių raukšlių vis dar išlikęs jo sėdmenų įspaudas. Aš ištepiau sėkla sėdynę, o tada pažymėjau aštrų vairo kolonėlės spyglį, kruviną ietį, kyšančią iš skydelio liekanų.

Mes su Katrina atsitraukėme, žvelgdami į blyškius skysčio lašelius, blizgančius tamsoje, į pirmąjį žvaigždyną naujame mūsų sąmonės danguje. Mums klaidžiojant tarp apleistų automobilių, uždėjau Katrinos ranką sau ant liemens, spausdamas jos pirštus prie pilvo raumenų. Aš jau ėmiau planuoti savo avarijos detales.

Tuo tarpu tiltu plaukia nenutrūkstamas automobilių srautas. Lėktuvai kyla nuo oro uosto pakilimo takų, gabendami Voeno sėklos likučius tūkstančiams susiduriančių automobilių prietaisų skydelių ir radiatoriaus grotelių, milijonams praskėstų keleivių kojų.